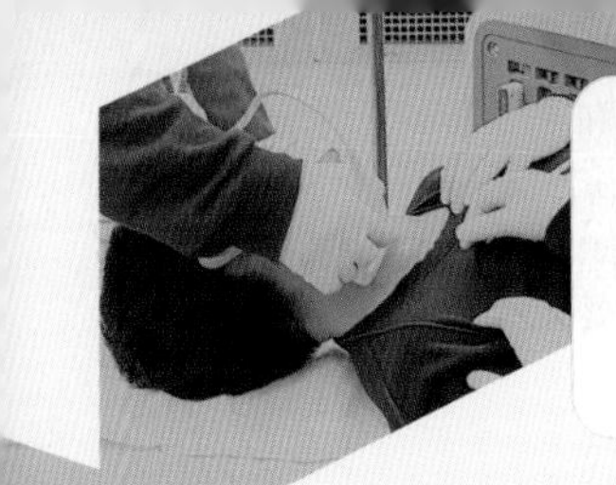

SAVER

공저

경영영 | 김영민 | 김지훈 | 김형민
오영민 | 우선희 | 정원중

군자출판사

SAVER
Pocket Survival Guide

1판 1쇄 인쇄 | 2021년 09월 08일
1판 1쇄 발행 | 2021년 09월 23일

지 은 이 경연영, 김영민, 김지훈, 김형민, 오영민, 우선희, 정원중
발 행 인 장주연
출 판 기 획 최준호
책 임 편 집 이현아
편집디자인 최정미
표지디자인 김재욱
일 러 스 트 김명곤
제 작 담 당 이순호
발 행 처 군자출판사(주)
등록 제 4-139호(1991. 6. 24)
본사 (10881) 파주출판단지 경기도 파주시 서패동 474-1(회동길 338)
Tel. (031) 943-1888 Fax. (031) 955-9545
홈페이지 | www.koonja.co.kr

ISBN 979-11-5955-764-4
정가 15,000원

>>>>> 책임 저자 <<<<<

- **경연영** 가톨릭대학교 의과대학 응급의학과교실
  의정부성모병원

- **김영민** 가톨릭대학교 의과대학 응급의학과교실
  서울성모병원

- **김지훈** 가톨릭대학교 의과대학 응급의학과교실
  부천성모병원

- **김형민** 가톨릭대학교 의과대학 응급의학과교실
  성빈센트병원

- **오영민** 가톨릭대학교 의과대학 응급의학과교실
  의정부성모병원

- **우선희** 가톨릭대학교 의과대학 응급의학과교실
  인천성모병원

- **정원중** 가톨릭대학교 의과대학 응급의학과교실
  성빈센트병원

■ SAVER 영상 QR 코드 리스트 표

일련번호	페이지	QR 코드 영상
2-1	7	Airvo 2 세팅
2-2	7	Airvo 2 적용
3-1	10	응급상황에서 삽관 결정 및 준비
4-1	19	삽관 단계별 4개의 주요 해부학적 구조물
4-2	19	올바른 후두경 조작
4-3	19	잘못된 후두경 조작
5-1	27	PB840 VC-ACMV 초기 적용
5-2	28	PB840 PC-ACMV 초기 적용
5-3	33	Servo-I VC-ACMV 초기 적용
5-4	33	Servo-I PC-ACMV 초기 적용
5-5	34	G5 VC-ACMV 초기 적용
5-6	34	G5 PC-ACMV 초기 적용
6-1	39	C-line preparation
6-2	42	Seldinger technique 전체 과정
6-3	43	Guide wire 전진법(적정 길이 삽입까지의 마커)
7-1	46	초음파를 사용하기 위한 준비와 세팅
7-2	48	POKE
7-3	49	PATH
7-4	50	Guidewire_PATH
7-5	50	Pneumothorax 유무 확인
8-1	54	IO insertion 전체과정

>>>>> 서문 <<<<<

가톨릭중앙의료원은 해마다 새롭게 시작하는 전공의를 위해 기관내삽관과 초음파 중심정맥관 확보 등 임상 응급 술기 습득을 위한 실제적인 과정을 열고 있습니다.

2020년 COVID-19의 범유행으로 인한 공백 기간 동안, 강사들은 전공의들이 임상 현장에서 즉시 활용할 수 있는 소책자를 만들어보자는 뜻을 모았고, 과정에서 다루어진 핵심 내용들과 응급 중환자 진료에 도움이 될 만한 유용한 자료들을 모아서 SAVER 포켓가이드북을 만들게 되었습니다.

이 책은 상세한 설명을 배제하고, 실제 상황에서 짧은 시간 안에 즉각적인 도움을 제공하는 데 초점을 맞추었습니다.

또한 실제 술기 경험이 많지 않은 전공의들을 위해, 스마트폰으로 동영상을 보며 따라 할 수 있도록 QR 코드를 삽입했습니다.

SAVER 포켓가이드북이 병원 전공의뿐 아니라 응급 중환자를 치료하는 의료진 여러분에게 유용하게 활용되기를 바랍니다.

2021년 9월 **SAVER 포켓가이드북 저자 일동**

>>>>> 목차 <<<<<

ACLS Algorithms

인천성모병원 우선희

■ 병원내 심장정지에 대한 전문소생술 순서

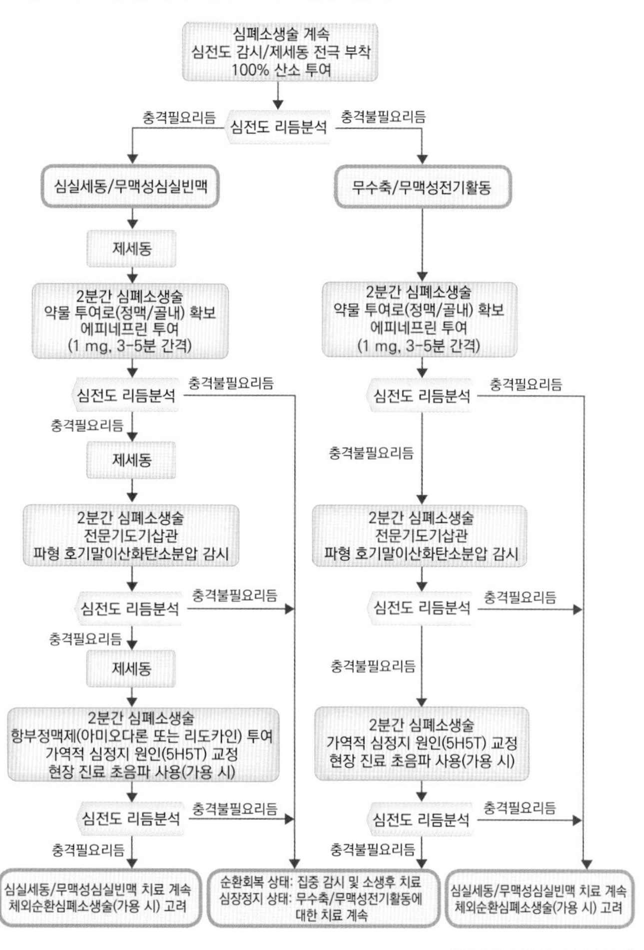

[대한심폐소생협회 KALS 지침]

ACLS Algorithms

(계속)

CPR quality

1. 가슴뼈의 아래 ½, 약 5 cm, 100-120/min
   강하고 빠르고 깊고, 완전한 이완
2. 가슴 압박 중단의 최소화
3. 과환기를 피함, 2분마다 가슴압박의 교대
4. 전문기도 확보 전 30:2 의 가슴 압박:환기
   전문기도 확보 후 6초마다 1회의 환기
5. 양질의 가슴압박시 $P_{ET}CO_2$ ≥ 10 mmHg 유지 확인
   (이완기 동맥압 ≥ 20 mmHg 유지 - A line 모니터링 환자)

약물 투여	
Epinephrine	IV/IO: 3-5분마다 1 mg
Amiodarone	IV/IO: First dose: 300 mg bolus Second dose: 150 mg
Lidocaine	IV/IO: First dose: 1-1.5 mg/kg Second dose: 0.5-0.75 mg/kg ※ 예) 60 kg 성인: First dose 90 mg, Second dose 45 mg

ROSC 확인

1. 맥박 촉지
2. $P_{ET}CO_2$ > 40 mmHg 갑자기 증가 유지

심정지의 가역적인 요인 (5H's & 5T's)	
Hypovolemia	Tension pneumothorax
Hypoxia	Tamponade, cardiac
Hydrogen ion (acidosis)	Toxins
Hypo-/ Hyperkalemia	Thrombosis, pulmonary
Hypothermia	Thrombosis, coronary

PALS Algorithms

의정부성모병원 경연영

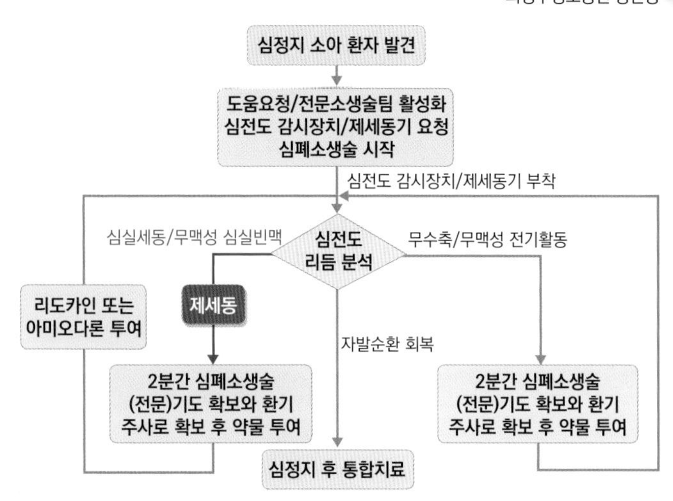

[대한심폐소생협회 KPALS 지침]

변수	방법
압박지점	흉골하부 ½(신생아는 흉골 하부 1/3) 소아) nipple line 영아) just below the nipple line
압박 속도	분당 100-120회의 속도
압박 깊이	흉곽 전후의 길이 1/3 소아) 5 cm, 영아) 4 cm
압박하는 손	소아) 구조자의 손꿈치 영아) 손가락 두 개
압박 : 호흡 비율	영아와 소아 모두 구조자 1인) 30:2 구조자 2인) 15:2 단, 신생아는 3:1
맥박확인	영아) 위팔동맥 (brachial artery) 소아) 목동맥 (carotid artery)
제세동	초기 2 J/kg → 4 J/kg (10 J/kg 혹은 성인 용량은 넘지 않도록!)

※ Browselow tape 참고 !!

PALS Algorithms

(계속)

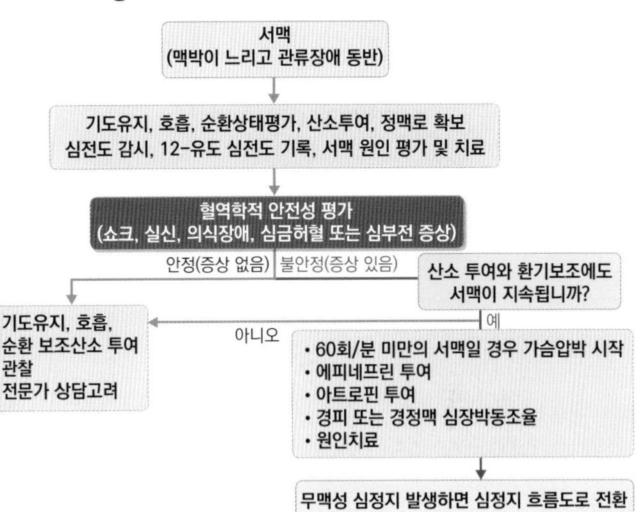

[대한심폐소생협회 KPALS 지침]

소아 CPR 중 Epinephrine 용량

: IV, IO : 0.01 mg/kg (0.1 mL/kg 1:10,000 solution)

예) *10 kg 소아 → "10배 희석된 epi. 1 cc"*

기타 약물 용량

	Child dose	10 kg 기준
Amiodarone	5 mg/kg	50 mg
Adenosine	0.1 mg/kg	1 mg
Lidocaine	1 mg/kg	10 mg
Magnesium	25 – 50 mg/kg	250 – 500 mg
Sodium Bicarbonate	1 mEq/kg	10 mEq

산소 공급(Oxygen supplement)

부천성모병원 김지훈

- 임상적 상황과 요구되는 산소량에 따라 공급 방법 결정
- 산소 공급의 효과를 맥박산소측정법으로 감시

	Flow rate (L/min)	Oxygen concentration (%)
Low flow nasal cannula	1-4	25-40*
Simple mask	6-10	35-50*
Partial rebreathing mask	10-12	50-60*
Non-rebreathing mask	10-15	65-95*
Self-inflating ventilation bag (BVM)	10-15	95-100*
High flow nasal cannula	20-60	21-100

* 환자의 호흡수, 분당 환기량, 구강호흡 정도, mask fit 정도에 따라 변화

* Self-inflating ventilation bag (Bag valve mask; BVM)은 환기 보조가 요구될 때 사용되며, 높은 산소 농도를 위해 reservoir가 있어야 함

산소 공급(Oxygen supplement)

(계속)

High flow nasal cannula

1. 장점

- 고유량 산소공급이 room air 흡입을 최소화
- 많은 양의 산소로 비인두강 내 사강(dead space) 감소
- 비인두 부위 기도 압력을 증가시켜 Continuous Positive Airway Pressure (CPAP) 효과
- 작고 유연하여 환자가 편안해 함
- 따뜻하고 습한 산소 공급으로 기도 분비물 배출 용이

2. 적응증

- 저산소성 호흡 부전(예. 급성 폐부종, 성인호흡곤란 증후군 등)
- 기관삽관 전과 삽관 중에 산소공급 목적으로

QR 2-1

3. 적용 방법

- 20-35 L/min으로 유량 설정
- 산소 농도를 산소포화도를 보면서 21-100%에서 설정
- 호흡수, 산소포화도와 호흡양상 등을 보면서 유량을 5-10 L/min씩 증, 감량

QR 2-2

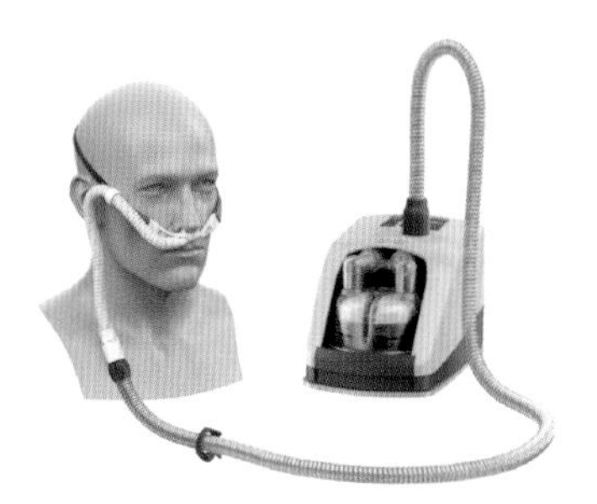

응급기도관리가 필요한 상황에서 시술자가 취해야 할 핵심 행동들

서울성모병원 김영민

- 삽관의 필요성과 상황의 시급성을 신속히 평가
- 상황에 맞는 최적의 기도관리 방법을 결정
- 적절한 약물 사용(종류, 순서, 용량)을 결정
- 익숙하고 잘 쓸 수 있는 장비를 사용
- 성공하지 못했을 때를 대비한 계획과 준비
- 어려운 기도 시 조기에 도움 요청
- 실패한 기도 시 구조 환기법 및 대체 삽관방법 그리고 윤상갑상막절개술 시행

성공적인 응급기관삽관을 위한 핵심 전략들

삽관 전	삽관 중	기타
▪ 전산소화 ▪ 혈역학적 안정화 ▪ 자원관리 ▪ 인적 요소들	▪ 산소화 유지 ▪ 최적 장비 선택 ▪ 약물 선택	▪ 다학제간 접근 ▪ 훈련 프로그램 ▪ 인적 요소들 ▪ 자원관리

[Natt BS, et al. *Br J Anaeth* 2016;117(S1):60-8]

삽관 결정

삽관 결정을 위한 3가지 질문들과 예제 상황, 그리고 확인할 사항들

기도 유지 또는 보호에 실패했는가?	
상황	심각한 질환(예, 쇼크, 뇌졸중, 중독)이나 중증 외상(특히, 두부 외상)으로 의식이 저하된 경우, 상부기도 폐색이 의심되는 경우
확인	✓ 명확하고 막히지 않은 목소리로 말할 수 있나? ✓ 환자가 자신의 의도에 따라 삼킬 수 있는가? ✓ 상부기도 폐색을 시사하는 4가지 징후가 있는가? ① 미약한 또는 뜨거운 감자를 머금은 목소리 ② 침을 삼키지 못함 ③ 협착음(stridor) ④ 호흡 곤란

환기 또는 산소화에 실패했는가?	
상황	기도를 유지하고 보호할 수 있으나 환기 및 산소화가 어려운 경우(예, 천식지속상태, ARDS 등)
확인	✓ 환자의 호흡수는, 호흡근 피로도는? ✓ 맥박산소포화도(SpO_2)는? ✓ 이용 가능하다면 호기말이산화탄소분압($ETCO_2$)은?

예상하는 임상 경과는 무엇인가?	
상황	기도 상황이 변할 가능성이 높고 점차 악화될 것으로 예상되거나, 질환이나 손상의 악화에 의해 호흡일(work of breathing)이 급격히 증가할 것으로 예상되는 경우(예, 목 앞쪽부위 혈종, 저혈압과 흉부 손상을 동반한 중증 외상 환자, 흡입 화상 환자, 장시간의 진단검사나 시술을 요하는 환자, 이 같은 환자가 전원이 필요한 경우)
확인	✓ 환자가 시간이 갈수록 나빠질 위험이 있나? ✓ 상태 악화가 기도 유지를 어렵게 만들 것 같은가?

어려운 기도 판단을 위한 4가지 질문

후두경 사용이 어려운가?		백마스크 환기가 어려운가?
	어려운 기도인가?	
성문외기구 사용이 어려운가?		윤상갑상막절개술이 어려운가?

실패한 기도로 판단해야 하는 경우들

- 1회 이상, 또는 그 이상의 후두경을 이용한 삽관 시도에 실패했고 적절한 산소포화도가 유지되지 않는 경우
- 산소포화도가 유지되더라도 경험 많은 시술자가 3회 이상 입기관삽관(orotracheal intubation)에 실패한 경우
- 어려운 기도가 예상되지만 임상적 상황으로 부득이하게 신경근차단제를 사용했음에도 1회 시도에서도 성공하지 못한 경우

[국립중앙의료원 공공보건의료교육훈련센터 이러닝과정] ▶

QR 3-1

NOTE

1. 기관내삽관 판단, Decision & Difficult Airway

의정부성모병원 오영민

아래의 이유로 기관내삽관 결정
1) 산소화 불가능 / 환기 불가능
2) 기도 폐쇄 / 흡인
3) 곧 위 2가지 상황으로 악화될 가능성

CPR 알고리듬에 따라
기관내삽관 / I-gel or LMA 삽입 (no medication)

START

어려운 기도(Difficult Airway) 상황

어려운 기도란?

<u>기관내삽관을 시도하기 전에 미리 평가</u>
기관내삽관/BVM짜기/I-gel 삽입 등
기도 술기가 쉽지 않을 것 같다는 판단이 들면 '어려운 기도'로 분류한다

예)
짧고 굵은 목, 경추 움직임 제한, 큰 혀,
튀어나온 앞니, 입벌림 제한, 안면부 손상,
턱수염, 상기도 종양, 방사선 치료 병력,
deep neck infection 등

NO

YES

어려운 기도의 원칙	1) 즉시 도움요청: 인력/장비 (비디오 후두경, 굴곡내시경) 2) 신경근 차단제 사용금지 (RSI 금지)

1) 준비 (SOAP_ME 기준)
2) 전산소화
3) 유도제만(에토미데이트 or 케타민) 투여
4) 시술자의 경험과 전체적인 상황을 고려해 다음 중 한가지를 선택
   ① 맥킨토시 후두경으로 성문 확인 시도 ("awake intubation")
   - 성문이 잘 보이면 그 상태로 삽관
   - 성문이 보이지 않으면 즉시 포기하고 I-gel or LMA 삽입
   ② 처음부터 비디오후두경으로 삽관
   ③ 처음부터 I-gel or LMA 삽입
   ④ 윤상갑상막절개술을 시행할 수 있는 능력(시술자와 장비)과 경험이 있을 때에 한하여 RSI 1회만 시도, 실패하면 즉시 cric

흔한 오류:
어려운 기도를 예측하지 못하고 RSI로 삽관 진행
신경근 차단제를 투여하기 부담스러워 약물을 전혀 사용하지 않고 삽관
부족한 용량의 유도제 사용
삽관이 생각보다 어렵다는 이유로 삽관 도중에 유도제 추가 투여를 결정
삽관이 생각보다 어렵다는 이유로 신경근차단제 투여를 결정

1. 기관내삽관 판단, non-Difficult Airway

일반적이고 어렵지 않은 기도 상황 (non-Difficult Airway)
임상에서 대부분의 환자가 여기에 해당 RSI 의 대상이 되는 환자군

YES →

일반적인 기도의 원칙	1) 빠른연속기관삽관 (RSI; rapid sequence intubation) 2) 유도제 + 신경근차단제 동시 투여

(p. 18-19, RSI 기관내삽관 참조)

1) 준비 (SOAP_ME 기준)
2) 전산소화
3) 삽관 전 최적화 (혈압/뇌압 안정화)
4) 유도제와 신경근차단제 동시 투여 (p. 20-21, RSI Drugs 참조)
5) 삽관 자세 만들기
6) 튜브 삽관 및 확인
7) 튜브 고정, chest X-ray, 기계 환기 시작, 진정

흔한 오류:
준비와 전산소화 단계를 건너 뜀
부적절한 유도제 선택, 용량 부족
삽관이 쉬워 보여서 신경근 차단제 제외, 유도제만 투여하고 삽관

1. 기관내삽관 판단, Failed Airway

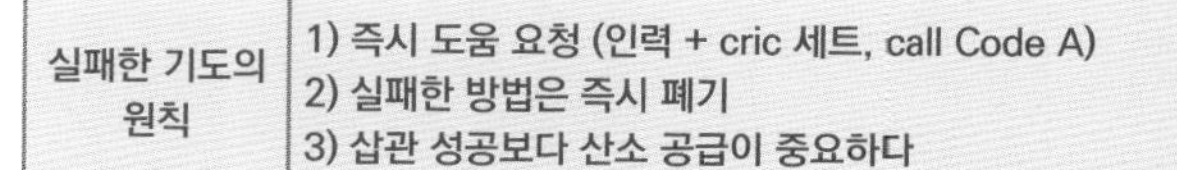

실패한 기도 상황
(Failed Airway)

1. 후두경으로 삽관이 불가능하며 $SpO_2 < 90\%$ (CICO; Can't Intubate, Can't Oxygenate situation)
2. 경험많은 시술자가 3회 이상 후두경 삽관 실패 (설령 산소포화도 유지된다 하더라도)

실패한 기도의 원칙	1) 즉시 도움 요청 (인력 + cric 세트, call Code A) 2) 실패한 방법은 즉시 폐기 3) 삽관 성공보다 산소 공급이 중요하다

0) 즉시 도움요청 (인력 + cric 세트, call Code A)

1) If 삽관 실패 + 산소화(앰부백 짜기로 $SpO_2 > 90\%$) 실패 (CICO)
→ I-gel 삽입, 백짜기하면서 cric(윤상갑상막절개술) 준비

2) If 삽관 실패했으나 $SpO_2 > 90\%$ 유지되고 있으면
→ 방법을 개선하고 총 3회까지 재시도
: 자세 조정, tongue control, 오른손으로 시야 개선, 비디오후두경 사용

흔한 오류:
새로운 시술자로 교대, 이미 실패한 방법(후두경으로 삽관)을 계속 고집
산소화 불가능한 CICO 상황에서 비디오후두경 등 대체 장비로 삽관 시도
실패한 삽관이 약물 투여로 개선될 거라는 오판
→ 특히 CICO 상황에서 이런 판단 오류는 저산소 손상/심정지로 이어짐

NOTE

2. 삽관 준비, ‘SOAP-ME’

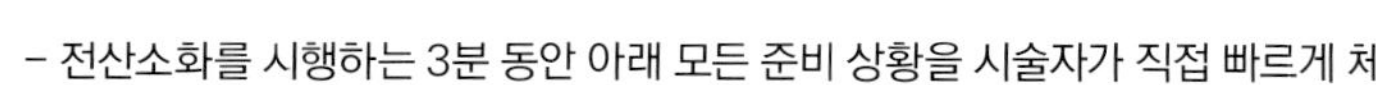

- 전산소화를 시행하는 3분 동안 아래 모든 준비 상황을 시술자가 직접 빠르게 체크한다
- 어려움이 예상될 경우 이 단계에서 미리 도움 요청 (인력과 장비)
- #4 맥킨토시 후두경. 불빛이 눈이 부시게 밝은지 눈으로 직접 확인

S: Suction

- hard tip 석션 (양커 혹은 듀칸토 석션팁)

Yankauer suction tip

Ducanto suction tip

O: Oxygen

- BVM + O_2 15 L/min

* BVM(앰부백)은 전산소화를 위해서가 아니라, 시술 전 혹은 시술 중 SpO_2<90% 일 때 구조환기를 위해 준비

A: Airways

- 삽관튜브: 내경 7.0–8.0 mm
- 맥킨토시 후두경 사용 시 ‘하키스틱’ 모양으로 준비
  (glide scope처럼 각도 큰 비디오 후두경 사용 시 블레이드에 맞게 원위부 구부려 준비)
- OPA / NPA : 산소 공급 시, BVM 사용 시 적용
- I–gel, LMA 등의 성문외기도기 (성인 남성 기준 #4)

1) 튜브 전체를 똑바로 편 다음
2) 커프가 시작되는 부분을
35° 미만으로 구부린다

P: Position & Preoxygenation

- 환자를 눕히지 말고, O_2 15 L/min 를 비재호흡(NRB)마스크로, 3분간 투여
- 산소 공급에도 불구하고 SpO_2 90% 미만인 경우에만 제한적으로 앰부백 짜기
- 가능하면 삽관 중에도 계속 비관이나 옵티플로우로 O_2 15 L/min 공급 유지

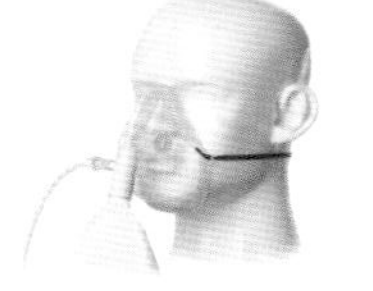

비재호흡마스크
NRB(Non-Rebreather) mask

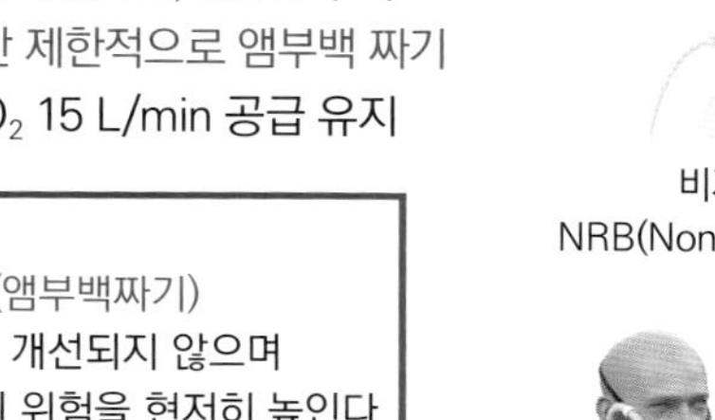

흔한 오류:
전산소화를 위해 BMV (앰부백짜기)
→ 흡입산소농도는 별로 개선되지 않으며
위팽만과 구토 흡인의 위험을 현저히 높인다

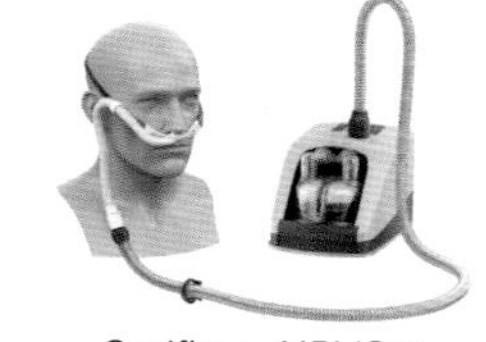

Optiflow, AIRVO™

M: Monitor & Medication

- 산소포화도 / 심전도 / 혈압 측정
- RSI 약물(유도제 + 신경근차단제) 적절한 용량으로 주사기에 준비
  (p. 20–21, RSI Drugs 참조)

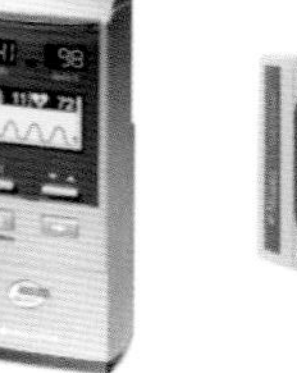

E: $ETCO_2$ monitor

- 호기에서 CO_2 분압을 측정, 기관내에 튜브가 위치한 것을 확인
- 그래프가 함께 표시된 capnography 모니터를 권장

3. 기관내 삽관(Endotracheal Intubation)

삽관 결정 / 환자 평가

↓

10분 전 (or 3분 전)
Pre-Oxygenation
전산소화 시작

앉은 자세 유지
NRB (비재호흡) 마스크
15 L/m, 3분 (~10분)
'No bagging'

흔한 오류:
환자 눕히기 / 백짜기

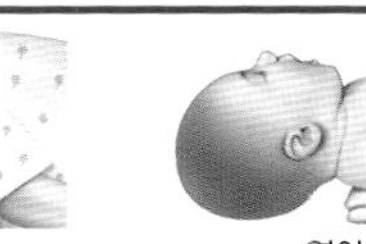

↓

Preparation
준비 'SOAP_ME'

Suction
Oxygen
Airways
Position / Preoxygenation
Medication / Monitoring
$ETCO_2$

↓

0분
Paralysis with Induction
유도제 + 신경근차단제
동시투여

p. 20-21
RSI 약물
참조

흔한 오류:
부적절한 유도제 선택, 용량 부족
신경근차단제 빼고 유도제만 투여

↓

30초 후
Positioning
삽관 자세
(sniffing position)

흔한 오류:
삽관 자세 만들지 않고 삽관 시작
목 뒤나 어깨 뒤 받쳐올리기

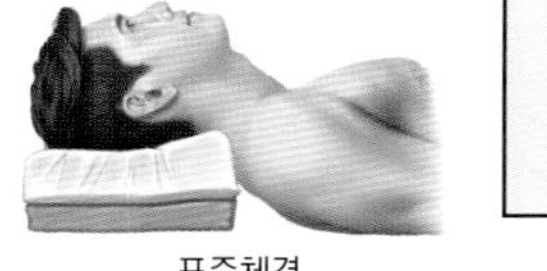
표준체격

비만

영아

한번에 성공하는 삽관 전략
'FPSS', First Pass Success Strategy

① #4 후두경, 'low grip', 눈부신 밝기
② '하키스틱' 모양의 ET튜브
③ 단계별 구조물 확인 ('후두개' & '후방연골')
④ Tongue control
⑤ 오른손으로 시야 개선
⑥ 성문에서 눈을 돌리지 않고 손으로만 튜브 받기
⑦ 튜브는 3시(오른쪽 입꼬리) → 12시(중앙) 방향 조작

45-60초 후
Placement
튜브 삽관

③ 단계별 구조물 확인

목젖 Uvula

후두개 Epiglottis

후방연골 Post. Cartilages

성문 Glottic opening

QR 4-1

QR 4-2

흔한 오류:
후두경 각도를 세워 진입하고, 한번에 후두경 날의 전체를 밀어 넣고 지렛대처럼(tilt) 조작
중요한 구조물, 특히 후두개를 확인하지 않고 끝까지 진입한 후, 성문이 어디 있는지 찾음

QR 4-3

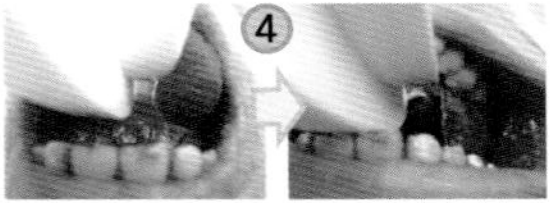

1 2 4

Tongue control

5 6 7

Postintubation management
삽관 후 처치

튜브가 기관 내에 위치한 것을 확인
- 5 포인트 청진 (상복부 → 양측 폐야 상/하)
- $P_{ET}CO_2$ (capnopraphy) 확인

고정 - 앞니 기준 20-22 cm 깊이로 임시 고정
커프에 공기 주입 - 20-30 cmH_2O
X-ray 로 튜브 깊이 확인, 조정
- 기관분지부의 3 cm 상방에 튜브의 끝이 오도록

기계환기 시작
진정

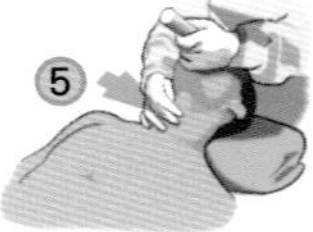

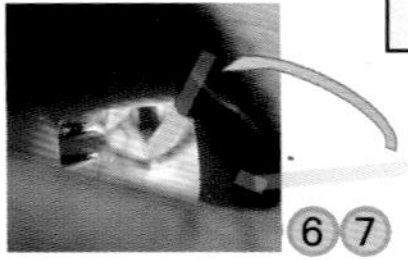

4. RSI Drugs

(소아 FSI 약물은 p. 77 참조)

약물	CMC drug code (주사제 단위 용량)	RSI 용량 (70 kg 성인 용량)	특징
삽관 전 최적화 Preintubation Optimization			
Fentanyl	DN-FT100J (100 mcg)	3 mcg/kg (200 mcg)	sympathetic response를 줄여야 할 때 (허혈성 심질환, 대동맥박리, 뇌출혈, 두개내압 상승 등) 전산소화 기간 동안 다른 약보다 먼저 투여. 1분에 걸쳐 천천히 주사
진정유도제 Induction Agent			
Etomidate	DA-ETM20J (20 mg)	0.3 mg/kg (20 mg)	1st choice. rapid onset (30초) short duration (3-10분) 모든 임상 상황에 가장 안정적이다
Ketamine	DA-KT250J (250 mg)	1.5 mg/kg (100 mg)	직접 기관지 확장 효과가 있어 반응성 기도질환 환자에게 최적 (천식 등) 혈압 상승 효과가 있어 출혈, 패혈증쇼 등 혈역학적으로 불안정한 환자에게 유용 Etomidate가 없을 때의 1차 대체 약물
* 벤조디아제핀계, 특히 미다졸람은 삽관시 나쁜 선택이다: 굳이 사용하려면 유도에 상당히 많은 용량이 필요하며(70 kg 성인에게 20 mg = 4A), onset이 느리고(2.5분), 심기능 저하와 저혈압 유발 가능성 높기 때문			
마비제 Paralytic Agent (신경근차단제 N-M blocker)			
Succinylcholine	DSCH100J (100 mg)	1.5 mg/kg (100 mg)	1st choice. rapid onset (45초) short duration (8.5분) - 악성고체온증, 서맥, Hyperkalemia시 주의 (심전도상 PR 연장 QRS 연장이 없다면 금기증이 아니다) - 화상 또는 신경마비(척수손상, 뇌졸중), crush injury 등의 발생 3일 뒤부터는 피한다
Rocuronium (Esmeron)	DRCN50J (50 mg)	1 mg/kg (70 mg)	onset (60초) duration (40-60분), Sch 금기시 대체 약물. 길항제 (sugammadex (Bridion), DSUGA200J)투여로 빠른 역전 가능
Vecuronium (Vecaron)	DVCN10J (10 mg)	0.15 mg/kg (10 mg)	onset (75-90초) duration (60-75분), Rocuronium이 없을 때의 대체 약물

4. RSI Drugs 적용 예시(70 kg 기준)

	*Typical RSI	*IICP / HTN emergency	Shock	*Sch contraindication
삽관전 최적화	X	**Fentanyl 200 mcg (1분에 걸쳐 천천히)	충분한 수액 / 승압제	X
진정유도제	Etomidate 20 mg or Ketamine 100 mg	Etomidate 20 mg or ***Ketamine 100 mg	*Etomidate 15 mg or Ketamine 100 mg	Etomidate 20 mg or Ketamine 100 mg
마비제 (신경근차단제)	Succinylcholine 100 mg or Rocuronium 70 mg	****Succinylcholine 100 mg or Rocuronium 70 mg	Succinylcholine 140 mg or Rocuronium 70 mg	Rocuronium 70 mg or Vecuronium 10 mg
설명	*대부분의 응급 삽관이 해당됨 Severe pneumonia ARDS, acute exacerbation of COPD, Asthma, heart failure, intoxication, asphyxia 등	*CVA, head trauma, Aortic dissection, AMI **Fentanyl은 두개내압 상승 혹은 대동맥박리와 같은 고혈압성 위기 환자에게 교감신경 반응을 완화시킨다. 급속 투여 시 저혈압 유발. 용량 주의 ***Ketamine은 두개내압을 상승시키지만, 평균동맥압의 상승 효과가 더 커서 뇌관류압을 유지하는데 종종 도움이 된다. 특히 뇌압 상승에 저혈압이 동반되어있다면 ketamine이 좋은 선택이다 (CPP=MAP-ICP) ****Sch 으로 인한 두개내압 상승 가능성은 임상적으로 무의미하다	*용량 조정	1) 절대 금기 : - 악성고체온 - myopathy (muscular dystrophy 등) 2) 신경마비(denervation; 척수손상, 뇌졸중, 다발성경화증,근위축성축삭경화증, 길랑-바레 증후군), 압좌손상(crush injury), 중증 감염 환자에게는 발병 후 3일 이후부터 6개월까지 금기 특히 화상은 3일 이후부터 완전히 치유될 때까지 금기 - 3일 이내 급성기에는 Sch 사용 가능 3) 고칼륨혈증 환자에게 주의 - 단, PR연장,QRS연장 등의 ECG 변화가 없는 경우는 금기가 아님 - 신부전 환자에게도 금기가 아님

Initial ventilator settings

부천성모병원 김지훈

1. General concepts

- 최근의 추세는 normal lung이라 할지라도 적은 양의 tidal volume (TV: 6-8 mL/kg)으로 설정하는 lung protective strategy를 권고하고 있다.

- lung physiology & function은 real body weight이 아닌 Predicted Body Weight (PBW)와 관련 있어 TV설정 시 PBW를 바탕으로 해야 한다.

- Compliance가 (유순도: 주어진 압력에 따라 폐포가 부풀리기 쉬운 정도) 낮을수록, Resistance가 (저항: 흐름에 따라 발생하는 기도 내압) 높을수록, 환자의 Work of Breathing (호흡일)이 증가한다.

2. Abbreviated words

- MV (Minute Volume): 분당 환기량: TV × RR
- TV (Tidal Volume): 일회 환기량
- RR (Respiratory Rate): 호흡수
- WOB (Work of Breathing): 호흡일
- PEEP (Positive End Expiratory Pressure): 호기말양압

Applications (PB840)

: touchscreen을 누르거나 knob을 돌려 설정한다.

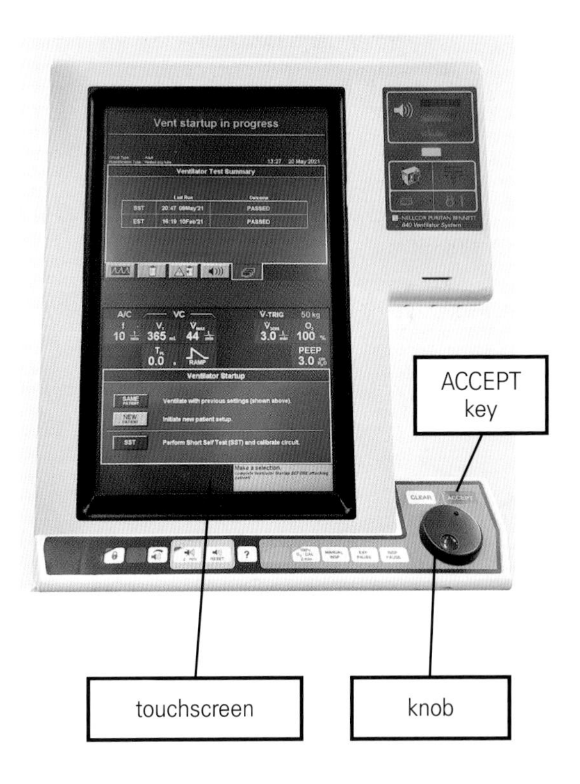

Applications (PB840)

(계속)

1. 전원 ON(기기 전면부에 위치)
2. NEW patient를 누르고 IBW을 눌러 활성화하여 PBW 값을 knob을 돌려 입력하고 Continue를 누른다

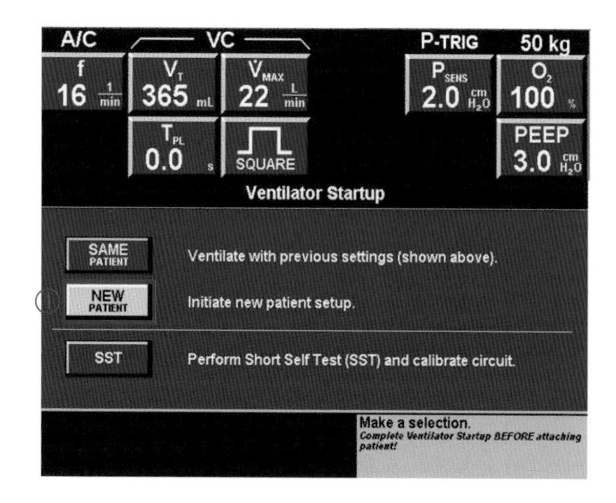

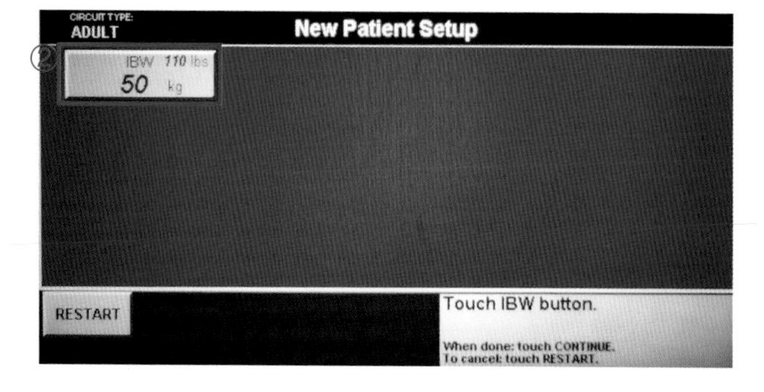

Applications (PB840)

(계속)

PBW (Predicted Body Weight)

Equation

- Male: 50 + 0.91 × [Height (cm) − 152.4]
- Female: 45.5 + 0.91 × [Height (cm) − 152.4]

Table

Male PBW (kg)	Height (cm)	Female PBW (kg)
25.1	125	20.6
29.6	130	25.1
34.2	135	29.7
38.7	140	34.2
43.3	145	38.8
47.8	150	43.3
52.4	155	47.9
56.9	160	52.4
61.5	165	57
66	170	61.5
70.6	175	66.1
75.1	180	70.6
79.7	185	75.2
84.2	190	79.7
88.8	195	84.3
93.3	200	88.8

Applications (PB840)

3. 설정(knob 돌리기)

- Vent type (**INVASIVE** vs NIV)
- Mode (**A/C**, SIMV, SPONT or BILEVEL)
- Mandatory type (**PC**, **VC** or VC+)
- Spontaneous type (PS vs None)
- Trigger type (P-TRIG vs **V-TRIG**)

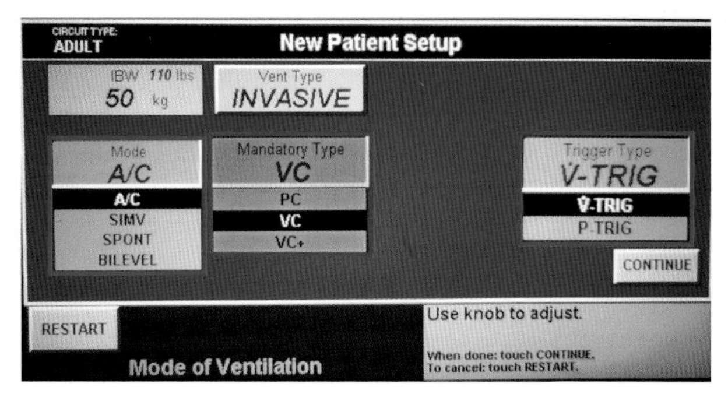

일반적인 응급/중환자에서 ventilator 초기 setting은 invasive, A/C, VC or PC, V-TRIG**로 설정한다.**

Applications (PB840)

QR 5-1

4-1. VC-A/CMV 적용

아래에 표시된 부분을 각각 눌러 활성화하고 환자 상태에 따라 수치를 설정한 후 ACCEPT key를 누른다.

① 환자의 PBW와 폐상태를 감안하여 TV을 설정
  - I:E ratio가 1:2~1:3이 되도록 ⓐ inspiratory flow rate, ⓑ plateau time(T_{PL})과 ⓒ inspiratory flow pattern 조정

② 환자의 환기 요구량을 고려하여 MV을 추정하고 RR을 설정

③ FiO_2는 초기 설정에 1.0으로 시작하여 SpO_2를 보면서 적절한 수치로 감량

④ PEEP

⑤ Trigger sensitivity

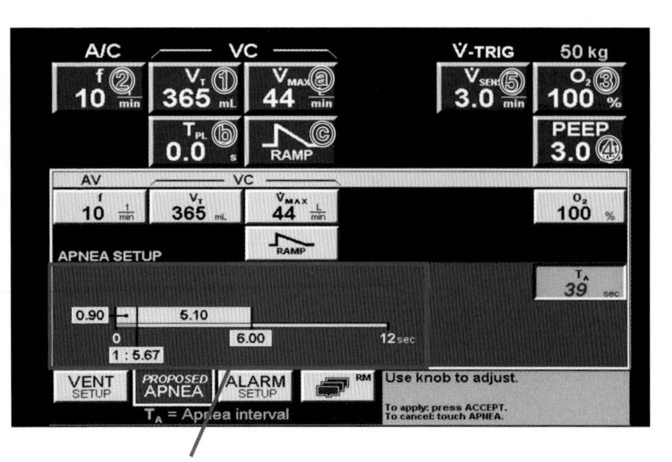

설정된 I:E ratio

Applications (PB840)

4-2. PC-A/CMV 적용

아래에 표시된 부분을 각각 눌러 활성화하고 환자 상태에 따라 수치를 설정한 후 ACCEPT key를 누른다.

① 환자의 PBW와 폐 상태를 감안하여 TV을 계산하고 exhaled TV를 고려하면서 inspiratory pressure를 설정
   - I:E ratio가 가능한 1:2-1:3이 되도록 ⓐ inspiratory time을 0.8-1.2 내로 설정

② 환자의 환기 요구량을 고려하여 MV을 추정하고 RR을 설정

③ FiO_2는 초기 설정에 1.0으로 시작하여 SpO_2를 보면서 적절한 수치로 감량

④ PEEP

⑤ Trigger sensitivity

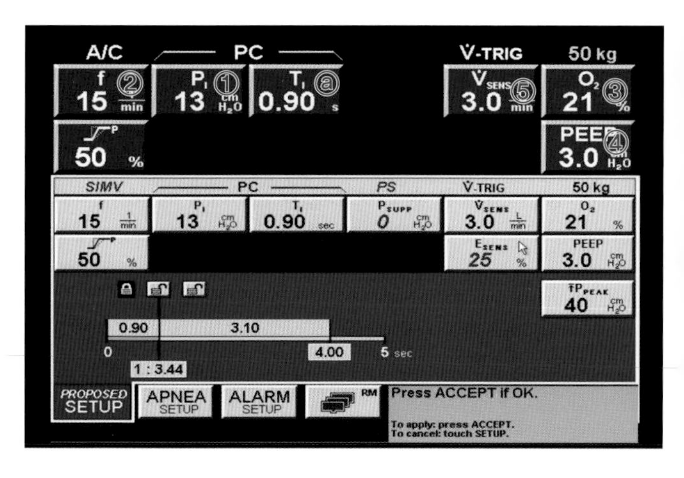

Initial ventilator settings

1. Normal lung

1) 기본 설정

Mode	VC- or PC-ACMV
TV	6-8 mL/kg
RR	12-16 breaths/min
PEEP	5-10 cmH_2O
FiO_2	1.0 (target SpO_2 ≥ 95%)
Inspiratory time	0.8-1.2
Inspiratory flow rate	40-60 L/min
I : E ratio	1:2-1:3
Trigger sensitivity	
- flow trigger	2 L/min
- pressure trigger	-1 ~ -2 cmH_2O

2) 고려할 점

기계환기기 기본 설정 후 test lung을 연결하여 air leak, circuit problem 등 장비 문제가 있는 확인하고 positive pressure ventilation이 되는지 점검

Initial ventilator settings

(계속)

2. Obstructive lung disease

1) 기본 설정

Mode	VC- or PC-ACMV
TV	6-8 mL/kg
RR	8-15 breaths/min
PEEP	≤ 5 cmH_2O
FiO_2	1.0 (target PaO_2 55-75mmHg)
Inspiratory time	0.6-1.2
Inspiratory flow rate	> 60 L/min
I : E ratio	1:2 - 1:3
Trigger sensitivity	
- flow trigger	2 L/min
- pressure trigger	-1 ~ -2 cmH_2O

2) 고려할 점

① FiO_2는 환자의 평소 normal PaO_2 또는 55-75 mmHg 정도 되도록 조정

② RR은 auto-PEEP이 생기지 않도록 하고, 가능한 expiration time을 길게 설정

- inspiratory flow rate (Vmax) 증가, plateau time (T_{PL}) 감소 또는 SQUARE inspiratory flow pattern 설정 시 inspiration time 감소되어 expiration time이 상대적으로 증가

Initial ventilator settings

(계속)

3. Restrictive lung disease

1) 기본 설정

Mode	VC- or PC-ACMV
TV	4-6 mL/kg
RR	20-40 breaths/min
PEEP	10-20 cmH_2O
FiO_2	1.0 (target SpO_2 88-95%)
Inspiratory time	0.5-0.8
Inspiratory flow rate	≥ 60 L/min
I : E ratio	1:2
Trigger sensitivity	
- flow trigger	2 L/min
- pressure trigger	-1 ~ -2 cmH_2O

2) 고려할 점

① Plateau pressure ≤ 30 cmH_2O로 되도록 TV 설정

② PEEP은 PaO_2/SpO_2 (55-80 mmHg/88-95%)를 목표로 최소 수준으로 설정

③ Inspiratory time은 0.5-0.8초로 환자와 Synchrony를 최대한 맞추도록

Commonly used ventilators in ED/ICU

Puritan bennett 840

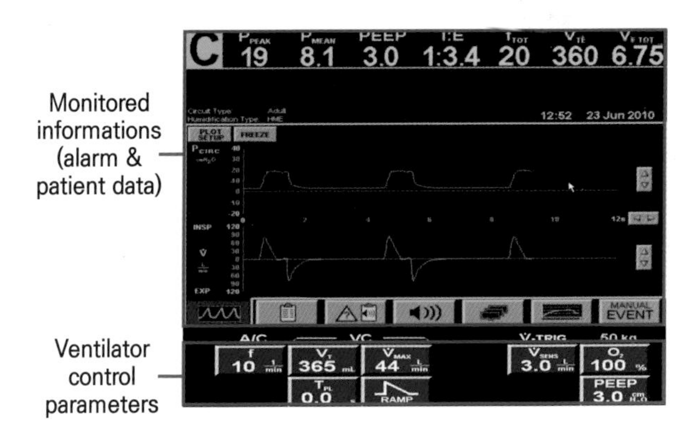

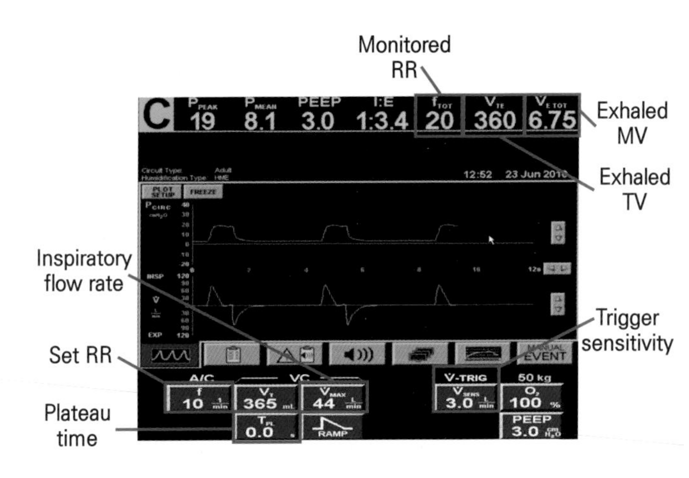

Commonly used ventilators in ED/ICU (계속)

Servo-i

QR 5-3

QR 5-4

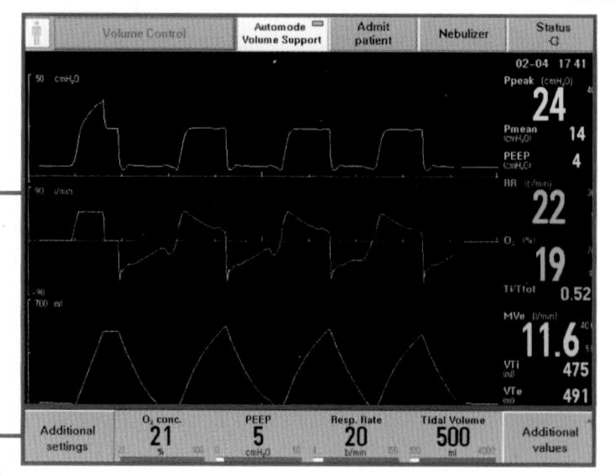

Monitored informations (alarm & patient data)

Ventilator control parameters

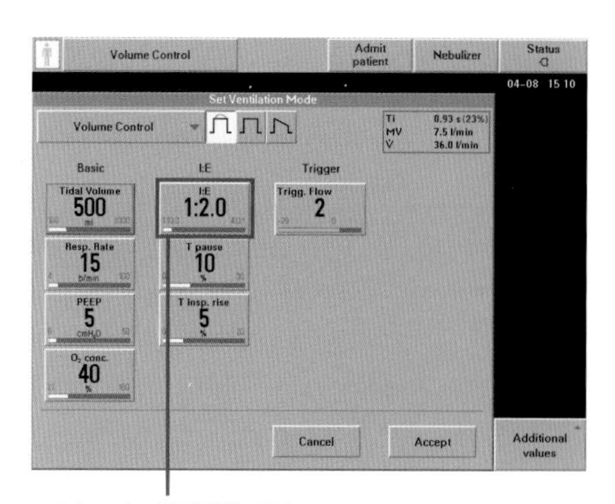

I:E ratio 설정값에 따라 inspiratory time 변화

Commonly used ventilators in ED/ICU *(계속)*

Hamilton G5

QR 5-5

QR 5-6

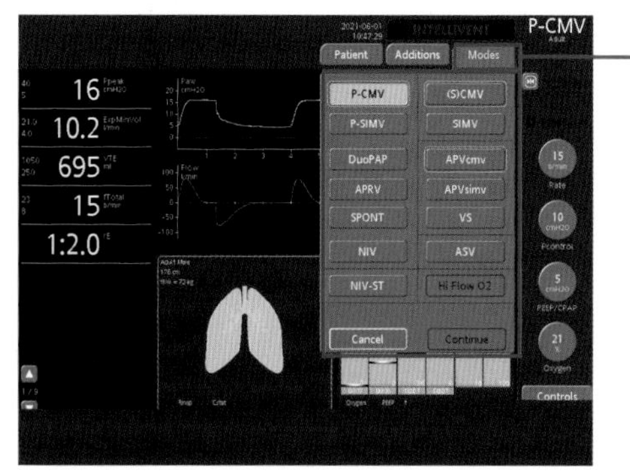

Mode

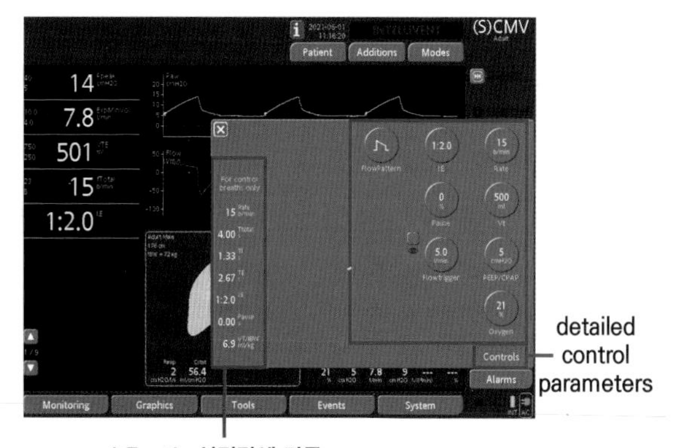

I:E ratio 설정값에 따른
inspiratory time (TI) 확인
(적정값:0.8–1.2 sec)

Commonly used ventilators in ED/ICU (계속)

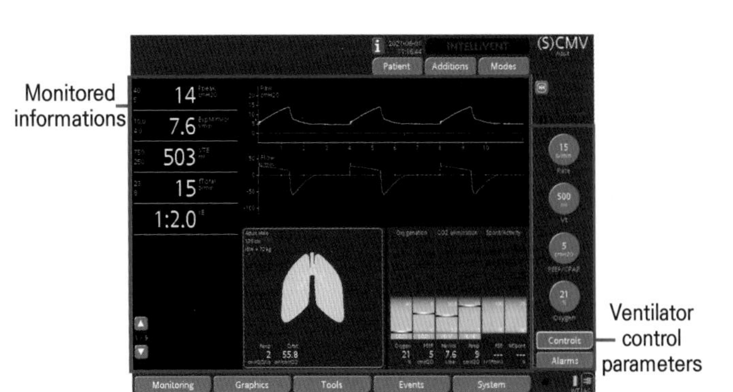

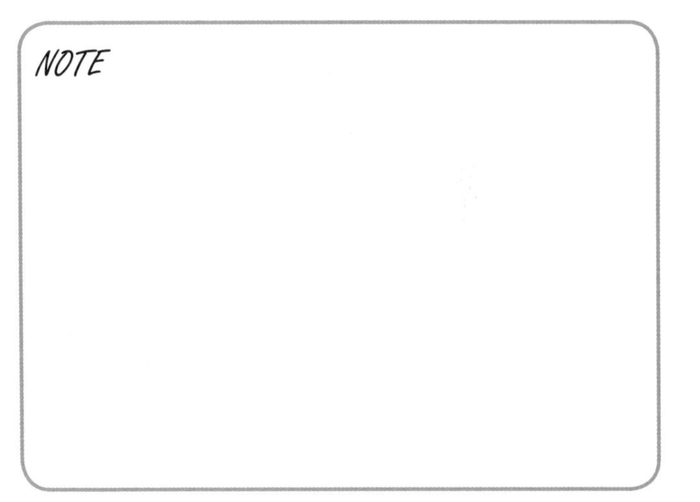

Approach to ventilated patients in distress

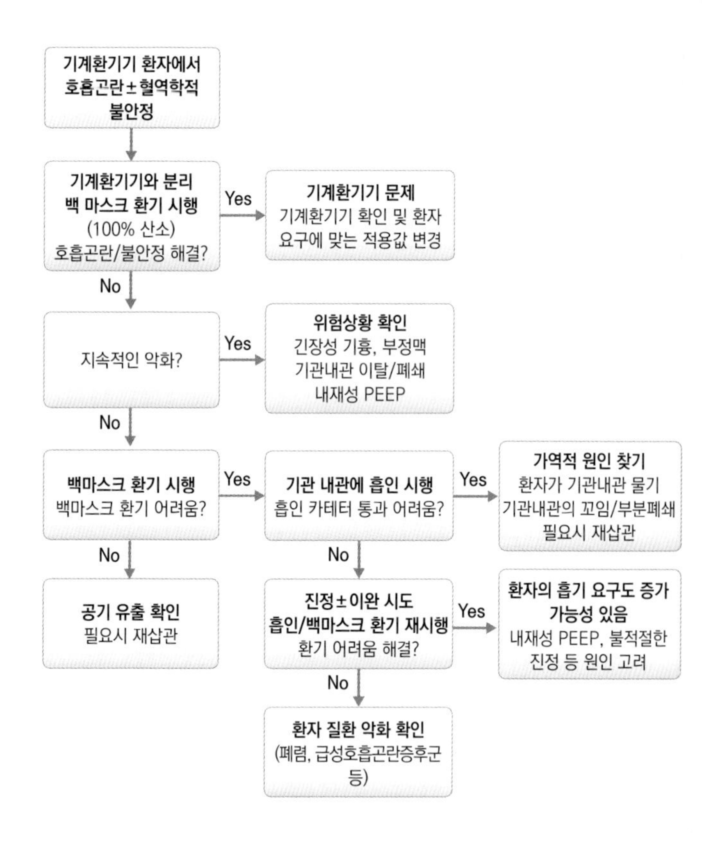

- 상기 알고리즘에 따라 환자의 기질적인 문제 또는 기계호흡기에 문제가 배제되면 통증이나 불안 등 원인에 따라 도구를 이용한 평가 후 필요시 약제를 투여한다.
- 통증/호흡곤란에는 마약성 진통제를, 불안/스트레스에는 propofol or dexmedetomidine을 일반적으로 권고한다.

NOTE

중심정맥관 삽입술(Landmark approach)

성빈센트병원 정원중

1. 중심정맥관 삽입의 적응증 및 금기사항

1) 적응증(정말로 필요한 환자인가?)

- 말초혈관의 확보가 전혀 불가능한 환자
- 고농도의 영양 공급 및 전해질 투여 환자
- 중증 환자의 모니터링을 요하는 환자

2) 금기사항 확인

✓ 출혈경향이 있는 환자(간경화, 항응고제 복용자)

✓ 삽입주변 부위에 감염의심 소견이 있는 환자

✓ 해부학적 표식을 구분하기 어려운 비만 환자

✓ 협조가 전혀 되지 않는 환자(진정 후 시술 가능)

✓ 경험이 없거나, 도움을 줄 조력자가 없는 상황

중심정맥관 삽입술(Landmark approach) *(계속)*

2. Anatomy

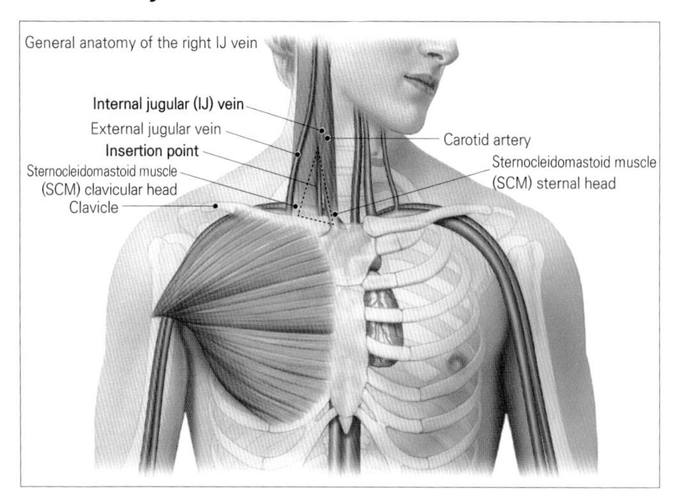

: SCM 의 sternal head & clavicular head, Clavicle 확인하고,
IJV 및 subclavian V.의 주행경로 파악

QR 6-1

3. Preparation

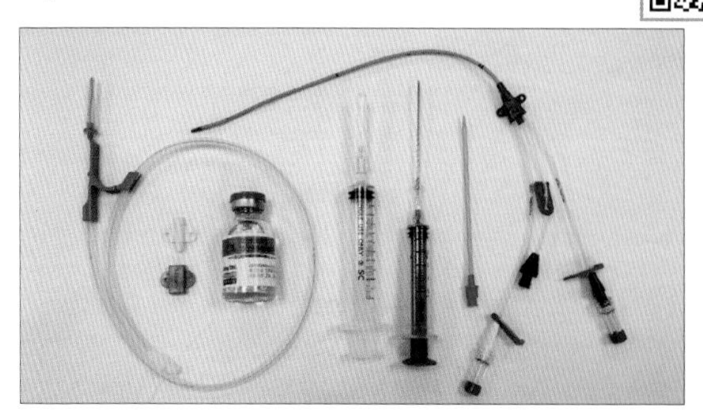

중심정맥관 삽입술(Landmark approach)

4. Procedure technique (Guide-wire technique)

- 식용 돼지고기 모델

A : 확보하고자 하는 혈관을 주사바늘로 천자

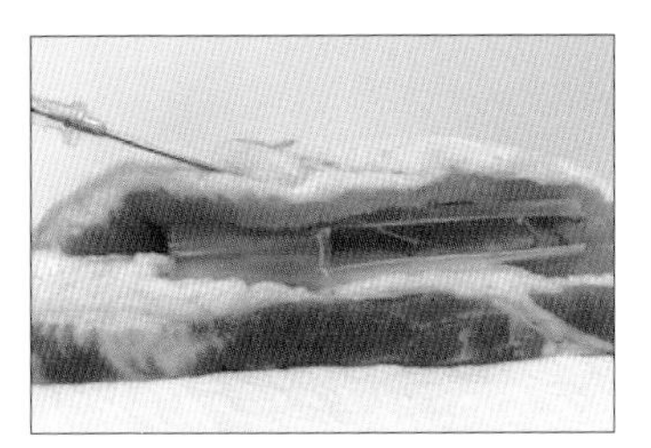

B : 주사바늘의 내경을 통하여 가이드 와이어 삽입

C : 주사 바늘 제거, 삽입 부위 절개(생략 가능)

중심정맥관 삽입술(Landmark approach) *(계속)*

D : 확장자를 통해 카테터 삽입부 넓히기

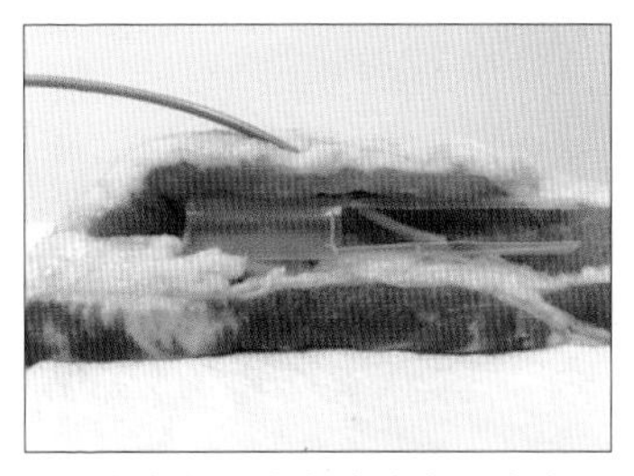

E : 와이어를 따라 카테터를 삽입

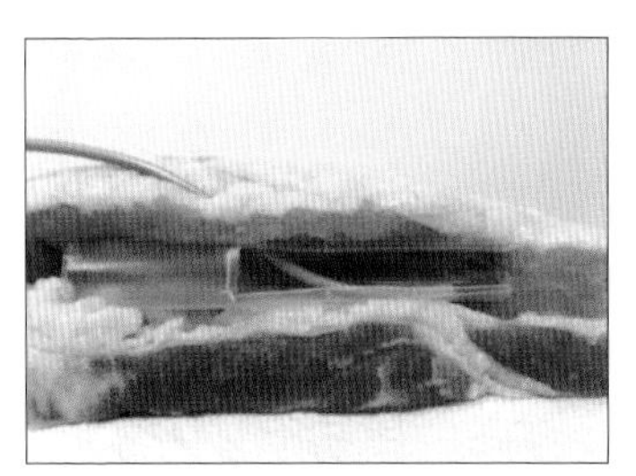

F : 주사바늘의 내경을 통하여 가이드 와이어 삽입

중심정맥관 삽입술(Landmark approach) *(계속)*

5. Insertion site

1) Subclavian V.

(1) supraclavicular approach

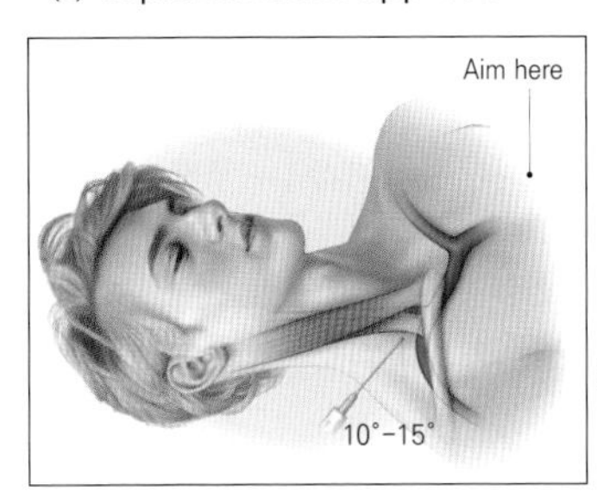

※ Rt. subclavian V. 에 먼저 시도한다.

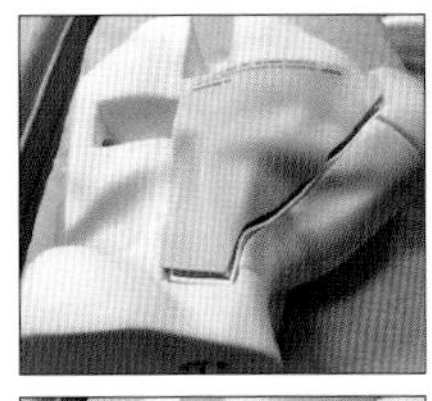

1. 시술자는 환자 머리 위에 서고, 환자의 머리를 좌측으로 돌림

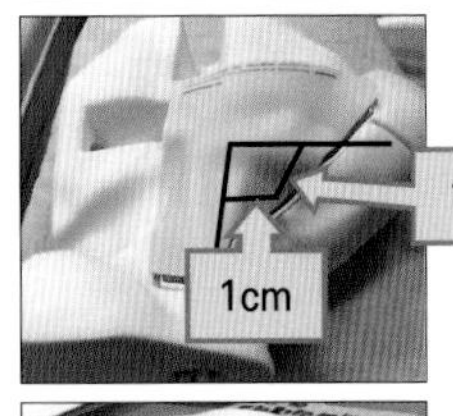

2. 시술자는 환자 머리 위에 서고, 환자의 머리를 좌측으로 돌림

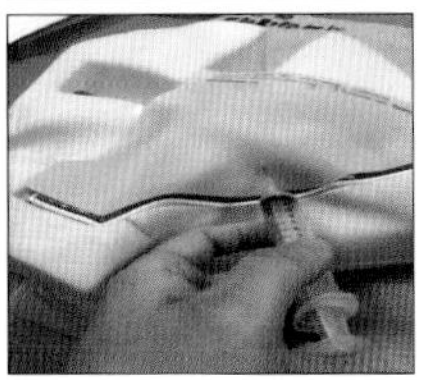

3. 천자 부위를 마취하고, 23G 주사침으로 반대편 nipple을 향해 수평에서 5-10° 각도로 천자 후 2-3 cm 진입하면서 혈액의 역류를 확인

중심정맥관 삽입술(Landmark approach) *(계속)*

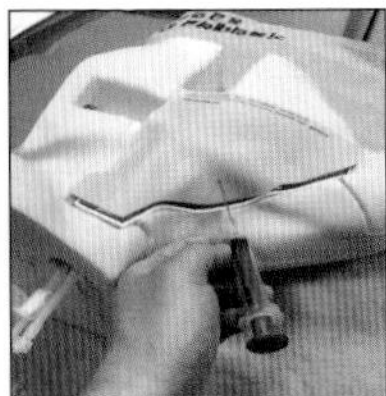

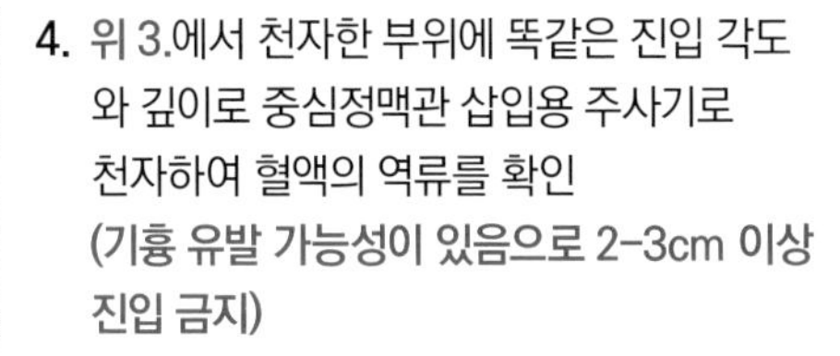

4. 위 3.에서 천자한 부위에 똑같은 진입 각도 와 깊이로 중심정맥관 삽입용 주사기로 천자하여 혈액의 역류를 확인
   (기흉 유발 가능성이 있음으로 2-3cm 이상 진입 금지)

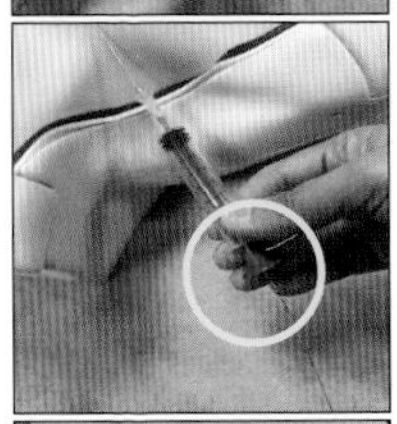

5. 주사기에 가이드 와이어의 세 개의 마커까지 진입
   (이전에 저항이 있다면 다시 시술)

QR 6-3

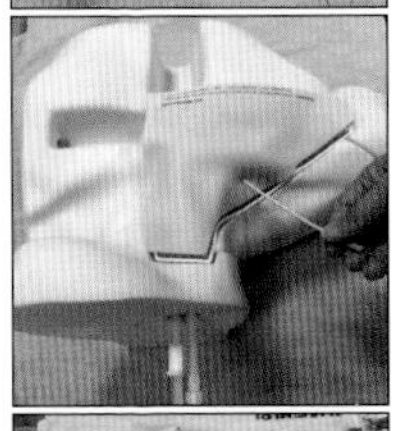

6. 주사기를 제거하고, 와이어가 빠지지 않게 주의하면서 dilator 를 통해 삽입 부위를 넓힘

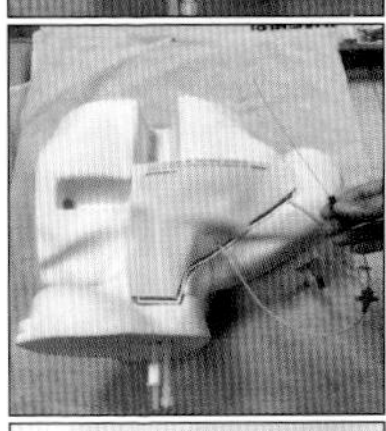

7. Dilator 를 제거하고, 와이어를 통해 카테터를 진입
   와이어가 카테터 끝으로 나온 것을 확인 후, 카테터를 삽입
   (절대 와이어를 먼저 당기지 않음)

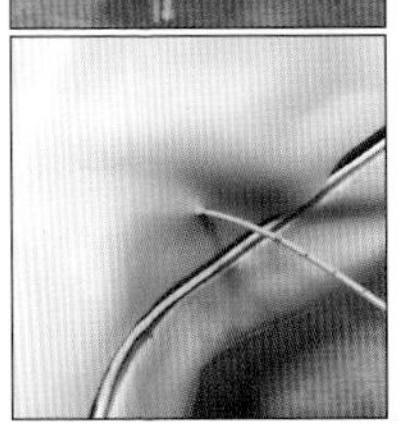

8. 카테터를 적정의 깊이까지 삽입
   (13-15 cm) 고정하고, 봉합시행

Chest X-ray 를 통하여 기흉발생 여부,
C-line Cath. 위치를 반드시 확인**

중심정맥관 삽입술(Landmark approach) (계속)

5. Insertion site

1) Subclavian V.

(2) infraclavicular approach

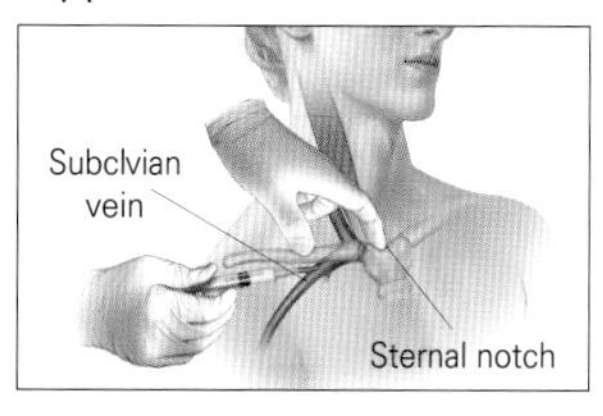

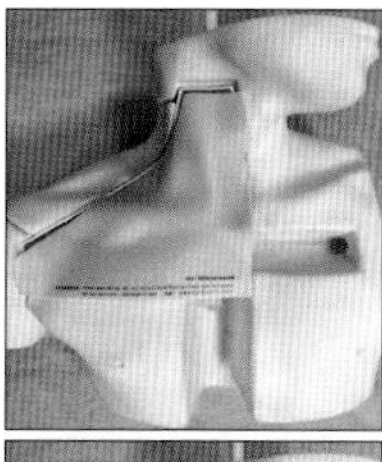

1. 시술자는 환자의 우측에 위치

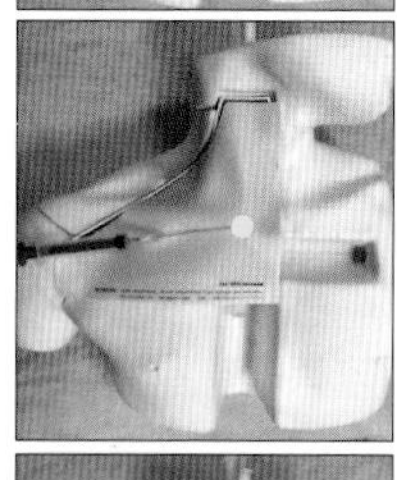

2. 중심정맥관 삽입바늘의 끝을 sternal notch에 위치시킴. 삽입바늘과 주사기의 연결지점을 삽입부위로 결정

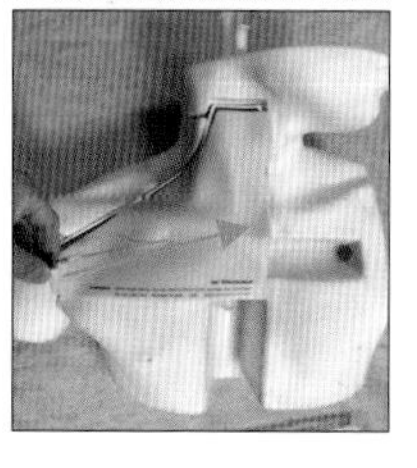

3. Sternal notch 를 향하여 쇄골의 하부를 따라 바늘을 진입시키며 혈류의 역류확인 (진입 시 기흉방지를 위하여 수평보다 아래 방향으로 진입하지 않도록 주의)

4. 혈액 역류 확인 후 과정은 **이전 5-8**과 동일

중심정맥관 삽입술(Landmark approach) (계속)

2) Int. Jugular V.

(1) middle (central) approach

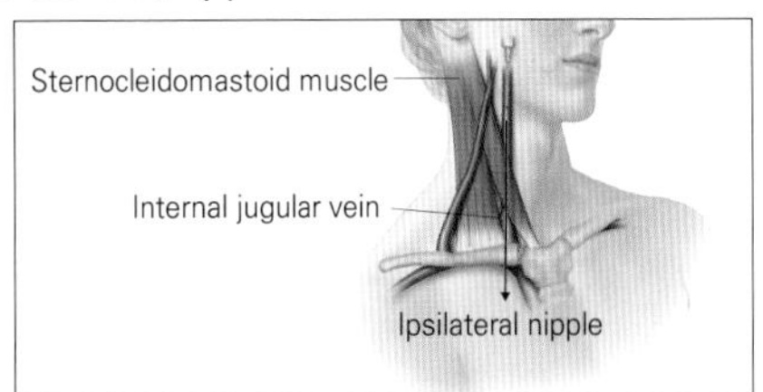

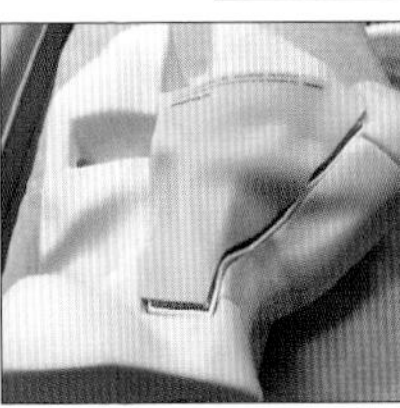

1. 시술자는 환자 머리 위에 위치

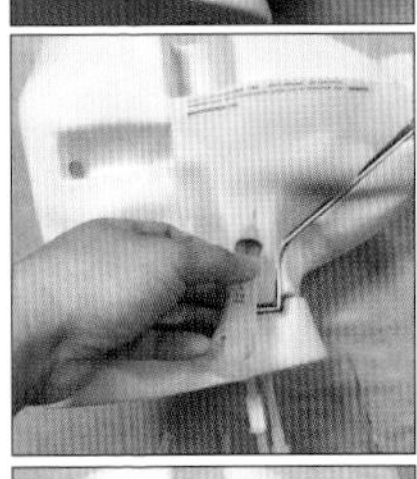

2. SCM m.의 두 갈래와 쇄골이 만드는 삼각형 부위를 찾고, 경동맥을 확인후, 23G 바늘로 경동맥 바깥쪽을 천자하여, 동측의 nipple 을 향해 진입하고, 혈액의 역류 확인 (평면과 30-40° 이루면서 천자)

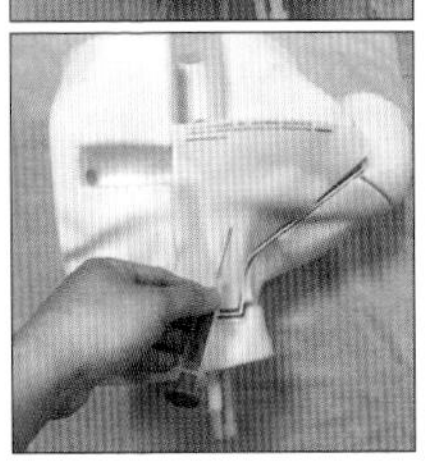

3. 위 2.에서 천자한 부위에 똑같은 진입 각도와 깊이로 중심정맥관 삽입용 주사기로 천자 후,동측의 nipple 을 향해 진입하면서 혈액의 역류 확인
   (기흉 유발 가능성이 있음으로 절대 3 cm 이상 진입 금지)
4. 혈액 역류 확인 후 과정은 이전 과정 5-8과 동일

중심정맥관 삽입술(US guided approach)

성빈센트병원 김형민

1. Preparation

- Sterile probe cover

- US machine position
  시술자 – Target – US machine이 동일선상 위치*

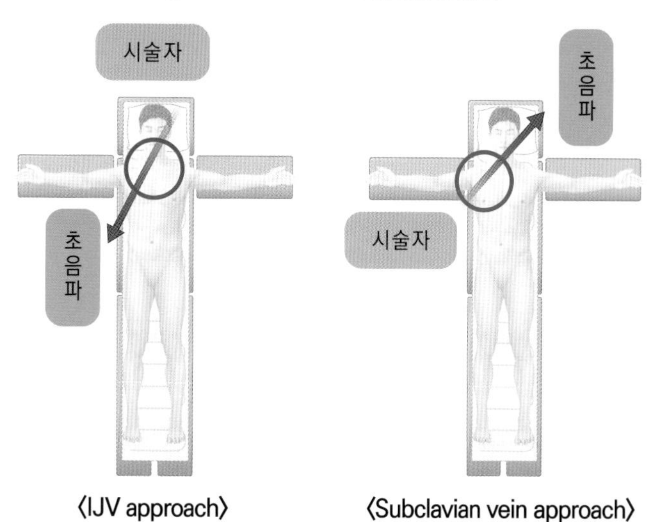

〈IJV approach〉 〈Subclavian vein approach〉

2. Prescanning

sterile procedure를 시행 전 초음파기기의 depth, gain, focus 등의 조절을 미리 해두는 단계

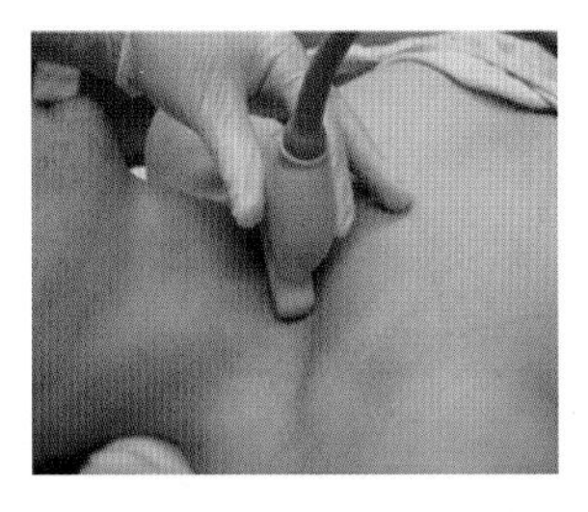

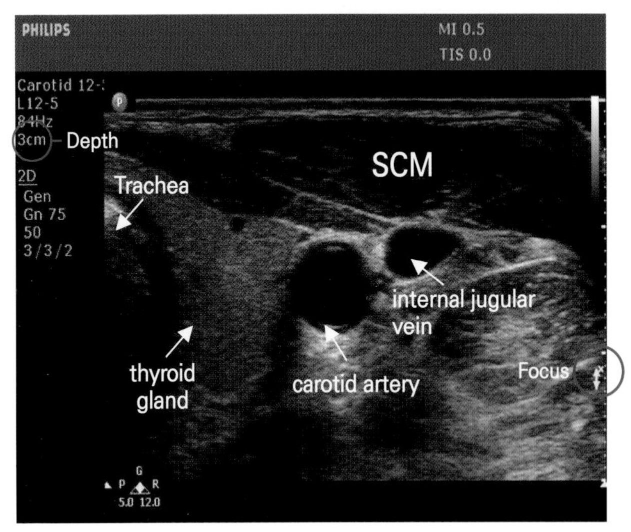

※ Tips !!

IJV의 내경을 확장시켜 Target을 크게 하는 방법

① Valsalva maneuver

② Leg elevation

③ 말초혈관으로 수액주입 후 시행

중심정맥관 삽입술(US Guided) *(계속)*

3. POKE

: 피부와 Probe 사이에 dilator를 위치시켜
목표 혈관 직상방 피부 puncture site를 확인한다.

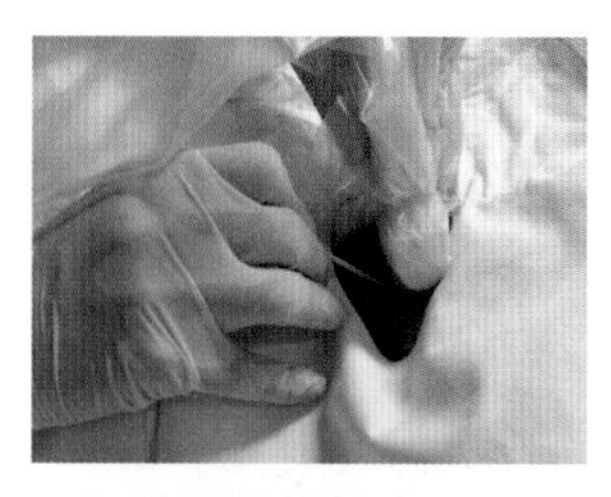

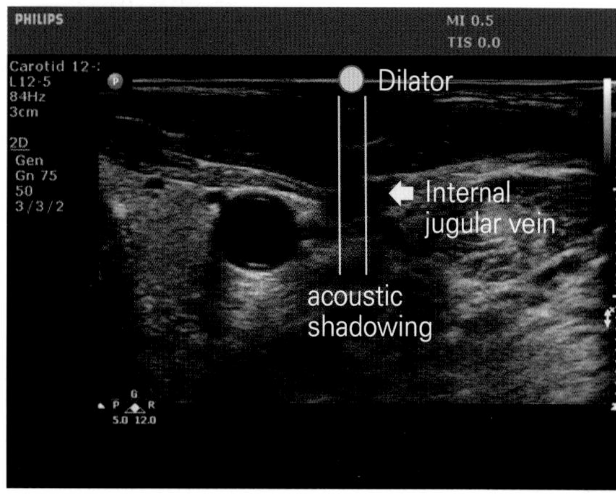

※ dilator의 acoustic shadowing에 의해 target이 가려지는 위치가 puncture할 site가 되는데 이는 target을 초음파 화면의 정중앙에 위치하게 하고 probe의 정중앙 부위 skin puncture 함으로써 이 단계를 skip할 수 있다.

중심정맥관 삽입술(US Guided)

(계속)

4. PATH

1) Needle bevel tip을 확인하며 삽입

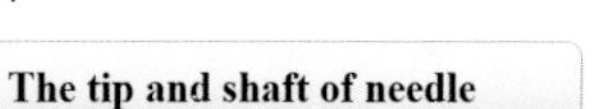

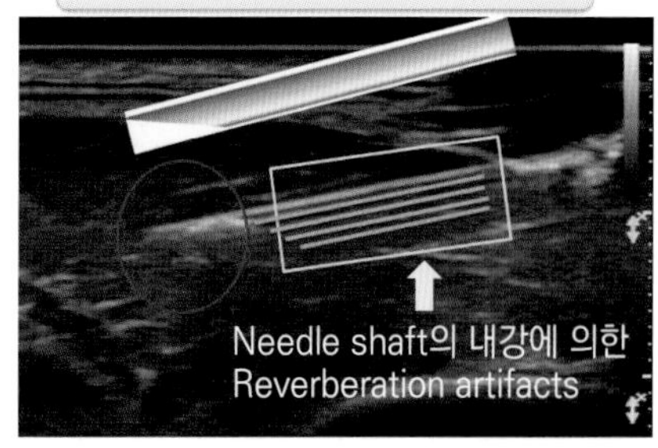

Reverberation artifacts가 아닌 hyperechoic spot으로 표시되는 needle tip을 확인하며 혈관내 삽입을 시도하는 것이 중요!

혈관 전벽이 needle tip에 의해 눌리는 tenting을 확인하는 것이 중요

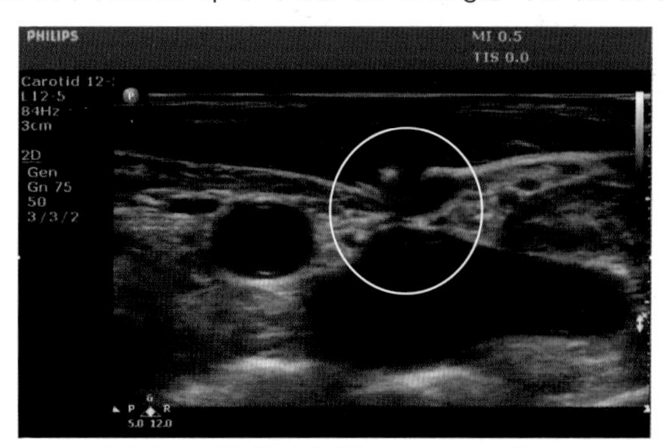

tenting이 사라지는 것을 확인 후 혈관내 needle 확인
(tenting 현상이 지속되면 혈관벽이 puncture되지 않고 눌려있는 상태임)

중심정맥관 삽입술(US Guided)

QR 7-4

guidewire 삽입 후 SVC로 진입여부 확인
probe를 눕히는 tilting을 통해 guidewire를 스캔

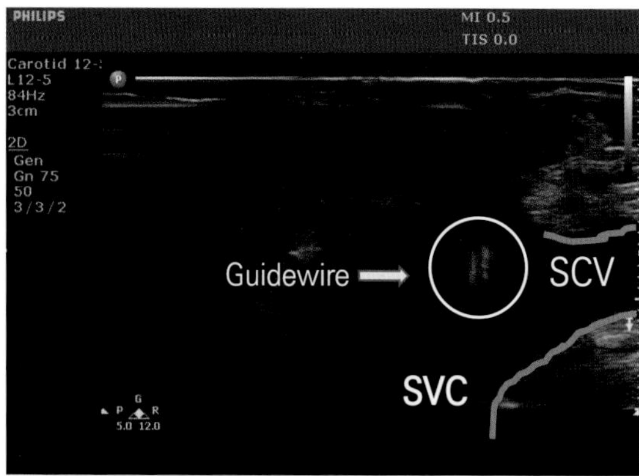

QR 7-5

5. Pneumothorax 발생 유무 확인

: 우측 nipple 하방의 흉부 전벽에서 확인
supine position에서는 pneumothorax발생유무를 nipple 아래쪽 에서 확인

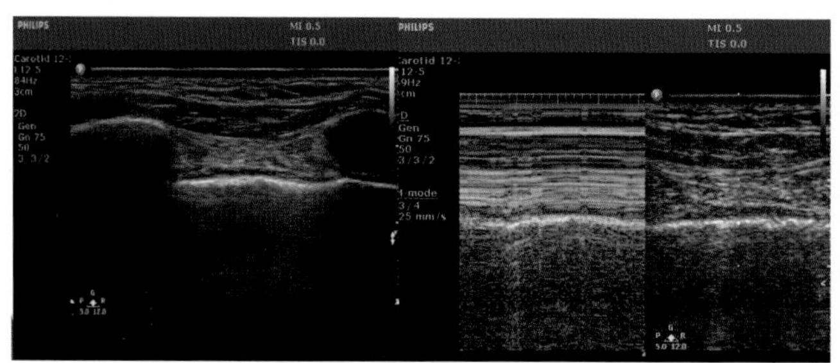

〈lung sliding〉 〈Seashore sign〉

NOTE

골내혈관 확보(Intraosseous access)

성빈센트병원 정원중

1. 골내혈관 확보의 적응증 및 금기사항

1) 적응증(정말로 필요한 환자인가?)
- 정맥로 확보가 용이하지 않은 모든 응급 환자
  (심정지, 외상, 화상, shock 등)

2) 금기사항 확인
- 시술 부위의 골절 및 crush injury
- 부서지기 쉬운 뼈
- 24시간 이내에 시도하였던 부위
- 시술 예정 주변 조직의 감염(봉소염, 농양 등)

2. Preparation (EZ-IO 기준)

골내혈관 확보(Intraosseous access)

(계속)

3. Puncture site

1) humeral head (1st choice in adult)

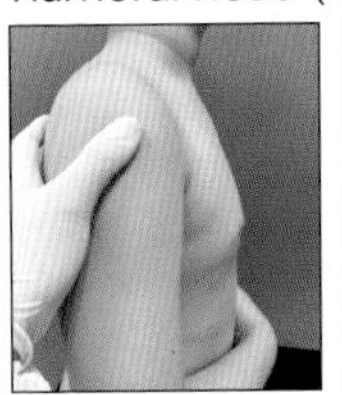
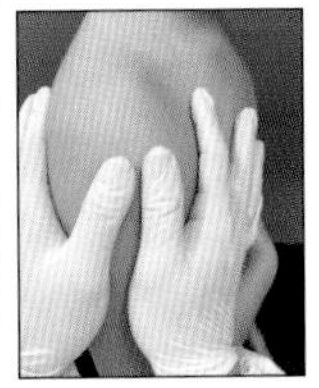

2) proximal tibia (1st choice in child)

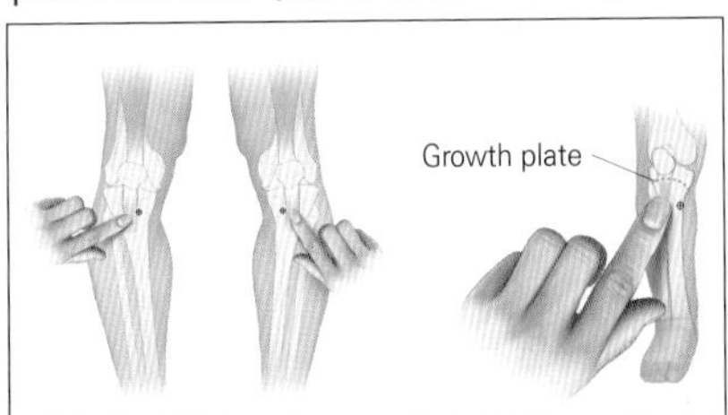

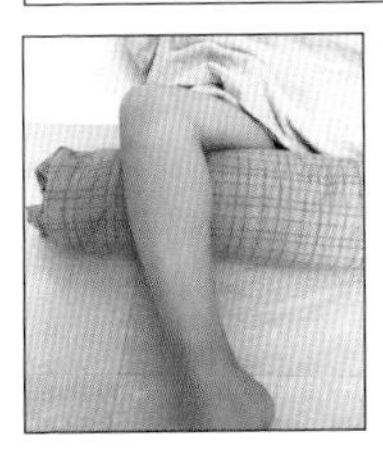
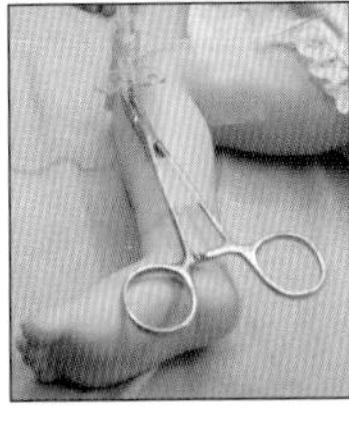

※ 소아의 경우
Knee flexion 또는
Prog position을
취하여 시행하는 것을
권고

3) distal femur, distal tibia (med. malleolus)

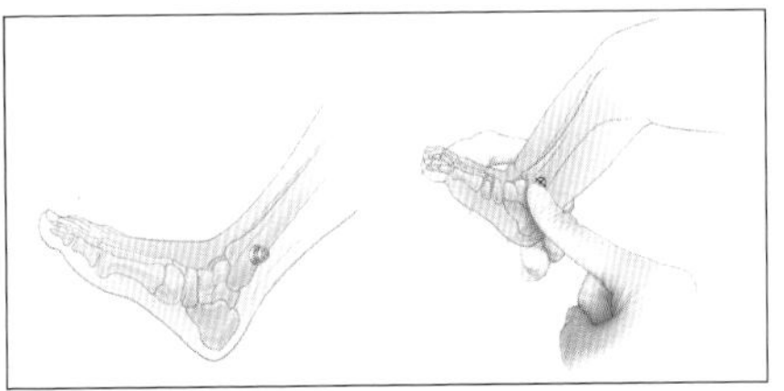

골내혈관 확보(Intraosseous access)

QR 8-1

4. Technique (Humeral head insertion)

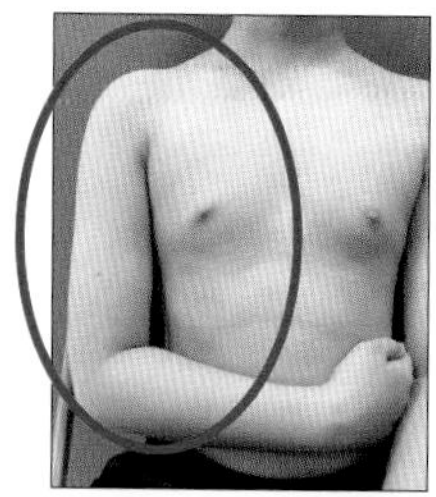

1. 시술측의 주관절을 90도 굴곡, 손을 명치부 위에 위치시킨다
   (피부에서 뼈까지의 거리 최소화)

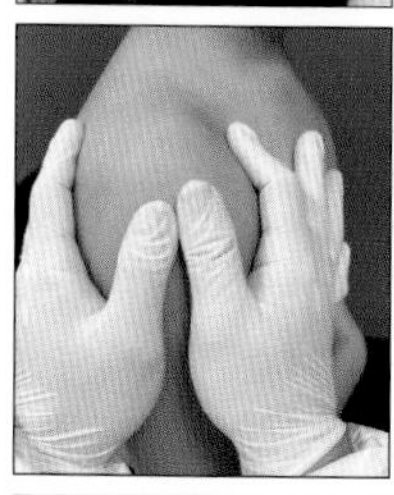

2. 시술자는 양손으로 humeral head를 촉지하고, 직하방에 삽위부위을 지정하고 소독

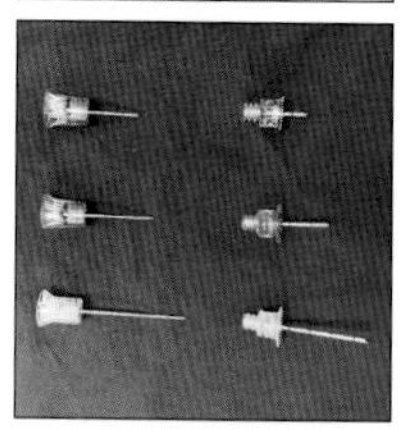

3. 적당한 길이의 바늘 선택
   - Red: 15 mm, 3-39 kg, 소아
   - Blue: 25 mm, >40 kg, 일반 성인
   - Yellow: 45 mm, 비만 성인

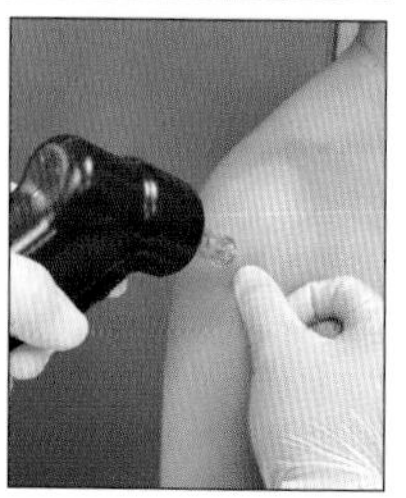

4. 삽입하고자 하는 뼈와 90도 각도를 유지하면서 천자, 골 외면을 통과하는 느낌을 확인할 때까지 드릴 전진

골내혈관 확보(Intraosseous access) *(계속)*

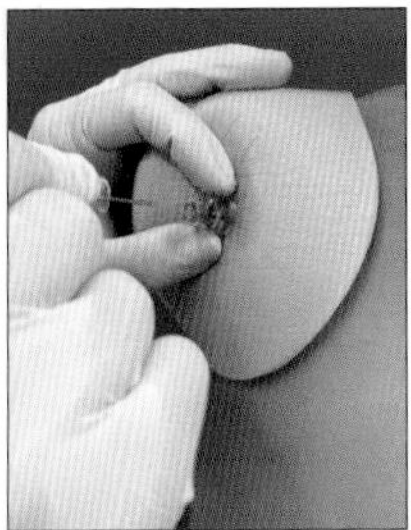

5. 드릴을 제거하고, 속심을 제거

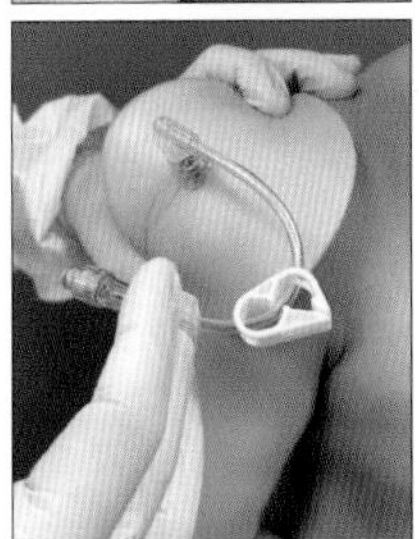

6. 바늘의 삽입여부 확인
   - 바늘의 흔들림 없음
   - 골수의 역류 확인
   - 생리 식염수 주입 후, 주변 피부 부종 여부 확인

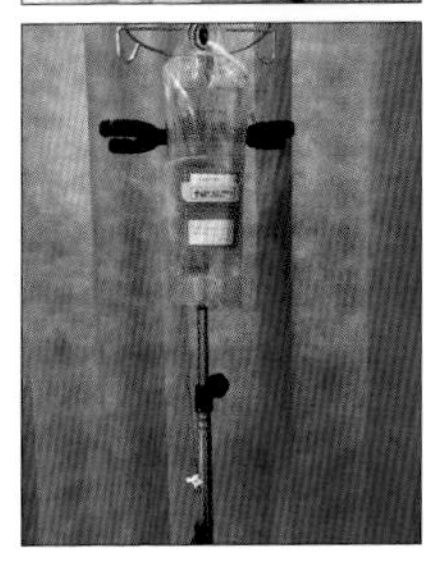

7. 압력백에 넣은 수액을 연결

※ IO 확보 후, 말초나 중심정맥혈관 확보를 하여 24시간 이내에 제거해 주어야 한다.

Initial assessment of shock states

인천성모병원 우선희, 부천성모병원 김지훈

1. Shock

Inadequate cellular oxygen utilization을 유발하는 circulatory failure의 임상 양상

2. Diagnosis

- Systemic arterial hypotension
  (SBP < 90 mmHg or MBP < 70 mmHg)
- Signs of tissue hypoperfusion
  cold and clammy skin
  urine output < 0.5 mL/kg/hr
  obtundation, disorientation or confusion
- Hyperlactatemia (>1.5 mmol/L)

3. Pathophysiological mechanism

- Hypovolemia
  internal or external fluid loss
- Cardiogenic factors
  acute myocardial infarction, end-stage cardiomyopathy, advanced valvular heart disease, myocarditis or cardiac arrhythmias
- Obstruction
  pulmonary embolism, cardiac tamponade or tension pneumothorax
- Distribution factors
  severe sepsis or anaphylaxis

Initial assessment of shock states

(계속)

1. Initial assessment

- medical history, physical examination, clinical investigation을 바탕으로 유추
- point-of-care echocardiographic valuation을 가능한 조기에 시행

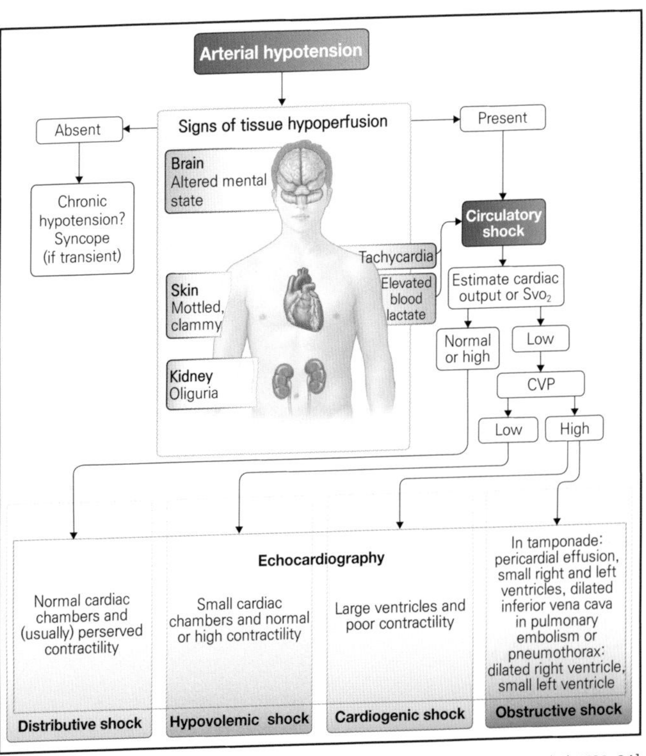

[N Engl J Med 2013;369(18):1726-34]

Initial assessment of shock states (계속)

2. Type

	Preload	CO	SVR
Hypovolemic	↓	↓	↑
Cardiogenic	↑	↓	↑
Distributive	↓	↑ ↓	↓ ↑
Obstructive	↑	↓	↑

3. Ultrasonographic findings in shock states

Table 1
Rapid Ultrasound in SHock (RUSH) protocol: ultrasonographic findings seen with classic shock states

RUSH Evaluation	Hypovolemic Shock	Cardiogenic Shock	Obstructive Shock	Distributive Shock
Pump	Hypercontractile heart Small chamber size	Hypocontractile heart Dilated heart	Hypercontractile heart Pericardial effusion Cardiac tamponade RV Strain Cardiac thrombus	Hypercontractile heart (early sepsis) Hypocontractile heart (late sepsis)
Tank	Flat IVC Flat jugular veins Peritoneal fluid (fluid loss) Pleural fluid (fluid loss)	Distended IVC Distended jugular veins Lung rockets (pulmonary edema) Pleural fluid (effusions) Peritoneal fluid (ascites)	Distended IVC Distended jugular veins Absent lung sliding (pneumothorax)	Normal or small IVC (early sepsis) Peritoneal fluid (peritonitis) Pleural fluid (empyema)
Pipes	Abdominal aneurysm Aortic dissection	Normal	DVT	Normal

[Emerg Med Clin North Am 2010;28(1):29-56]

SEPTIC SHOCK

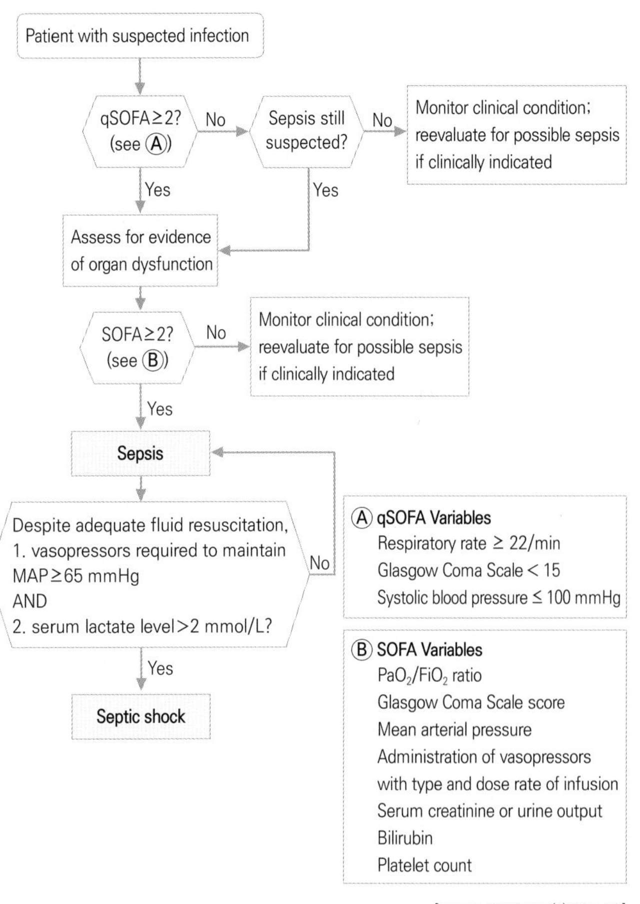

[JAMA. 2016;315(8):801-10]

Sequential (Sepsis-Related) Organ Function Assessment (SOFA) score

	0	1	2	3	4
Respiration PaO_2/FiO_2, mmHg	Normal	<400	<300	<200 (with respiratory support)	<100 (with respiratory support)
Coagulation Platelets $\times 10^3/mm^3$	Normal	<150	<100	<50	<20
Liver Bilirubin, mg/dL (μmol/L)	Normal	1.2–1.9 (20–32)	2.0–5.9 (33–101)	6.0–11.9 (102–204)	>12.0 (<204)
Cardiovascular Hypotension	Normal	MAP<70 mmHg	Dopamine≤5 or dobutamine(any dose)**	Dopamine>5 or epinephrine≤0.1 or norepinephrine≤0.1	Dopamine>15 or epinephrine>0.1 or norepinephrine>0.1
Central Nervous System Glasgow Coma Score	Normal	13–14	10–12	6–9	<6
Renal Creatinine, mg/dL (μmol/L) or Urine output	Normal	1.2–1.9 (110–170)	2.0–3.4 (171–299)	3.5–4.9 (300–440) or <500 mL/day	>5.0 (>440) or <200 mL/day

SEPTIC SHOCK MANAGEMENT

Hour-1 Surviving Sepsis Campaign Bundle of Care

1. Lactate level을 측정
   - tissue hypoperfusion을 반영
   - If initial lactate > 2 mmol/L → 2-4 hr 안에 remeasure
2. Blood cultures
   항생제 사용 전에 적어도 2 sets 이상(< 45 min 이내)
3. Broad spectrum antibiotics 투여
4. IV fluid 투여(Crystalloid 30 mL/kg) (약 2 L, 3 hr 안에 완료)
5. Vasopressors
   (수액 투여 후에도 MAP ≥ 65 mmHg 이상 유지 안되면 1 hr 이내 시작)

Initial Resuscitation Goals first 6 hrs

CVP : 8-12 mmHg
MAP : ≥ 65 mmHg 이상
Urine output : ≥ 0.5 mL/kg/hr
$ScvO_2$: 70%
SvO_2 : 65%
In pts with elevated lactate: lactate ↓↓

Inotropics and vasopressors (Target MAP ≥ 65 mmHg)

1. Norepinephrine (NE) → First choice
2. Vasopressin - up to 0.03 U/min or
   Epinephrine - up to 20-50 μg/min added
3. Dopamine - alternative to NE
   (Pts with low risk of tachycardia or absolute /relative bradycardia)
4. Dobutamine - up to 20 μg/kg/min
   (myocardial dysfunction - Pts with elevated ventricular filling pressures, low CO)

Vasopressor p. 79 참조

Vasopressor use for adult septic shock

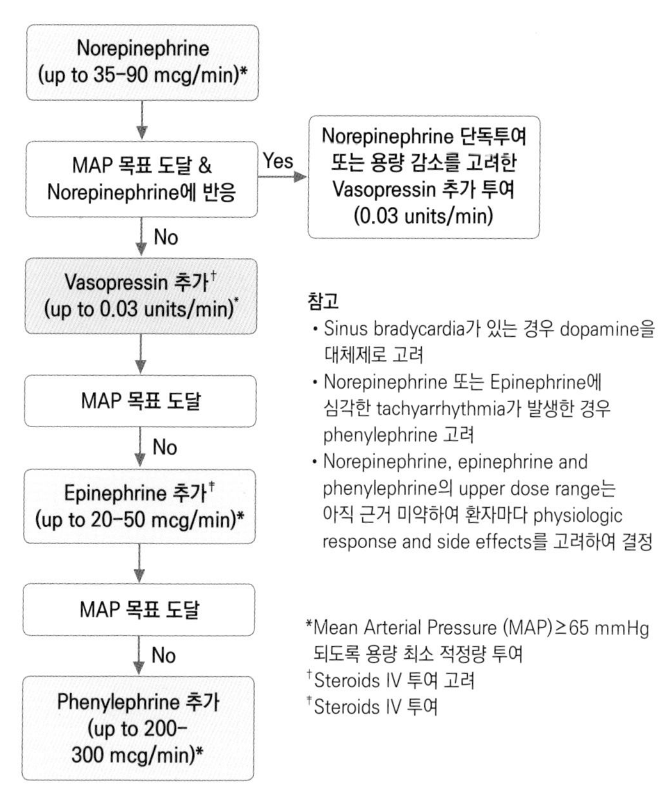

참고

- Sinus bradycardia가 있는 경우 dopamine을 대체제로 고려
- Norepinephrine 또는 Epinephrine에 심각한 tachyarrhythmia가 발생한 경우 phenylephrine 고려
- Norepinephrine, epinephrine and phenylephrine의 upper dose range는 아직 근거 미약하여 환자마다 physiologic response and side effects를 고려하여 결정

*Mean Arterial Pressure (MAP)≥65 mmHg 되도록 용량 최소 적정량 투여
†Steroids IV 투여 고려
‡Steroids IV 투여

[Dellinger RP *Crit Care Med* 2017;45:381–5]

Hypovolemic SHOCK MANAGEMENT

Stages of hemorrhagic shock

	Class I	Class II	Class III	Class IV
Blood loss (mL)	Up to 750	750–1500	1500–2000	> 2000
Blood loss (%)	Up to 15%	15–30%	30–40%	> 40%
Pulse rate	< 100	> 100	> 120	> 140
Blood pressure	Normal	Normal	↓	↓
Pulse pressure	Normal / ↑	↓	↓	↓
RR	14–20	20–30	30–40	> 35
Urine output (mL/h)	> 30	20–30	5–15	Negligible
Mental status	Slightly anxious	Mild anxious	Anxious confused	Confused lethargic
Need for Blood	Monitoring 수액투여	악화시 고려	수혈 필요	Massive transfusion
		←- - - - - -→	←———————	———————→

초기 처치

1. ABCs
2. 2개의 large bore IV cannula (18G 이상), C–line 확보
3. Crystalloids 투여
   - Normal saline or Lactate Ringers
   - 성인 1L 이상, 소아 20 mg/kg 투여
4. pRBCS 고려
5. Control any bleeding focus
6. Urinary output 지속적인 모니터링(Resuscitation indicator)
   - 성인 0.5 mL/kg/hr , 소아 1 mL/kg/hr

eFAST
(Extended Focused Assessment with Sonography for Trauma)

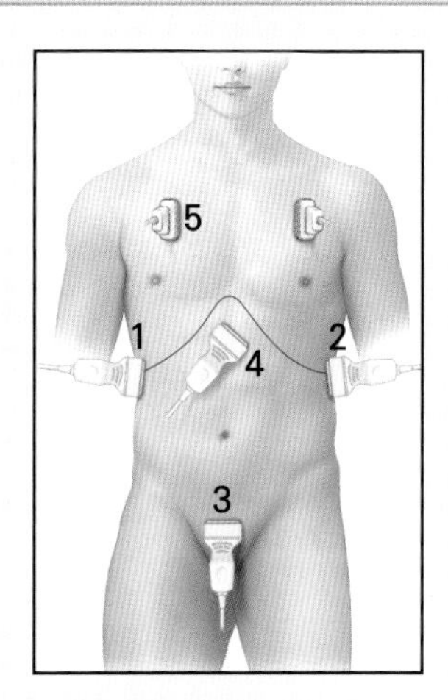

1. **Hepato-renal interface**
   (Morrison's pouch), Rt diaphragm
2. **Spleno-renal interface**
   Lt diaphragm
3. **Pelvis in both planes**
   (Longitudinal, Transverse)
4. **Pericardial**
   Subxiphoid or intercostal views
5. **Pleura Bilateral**

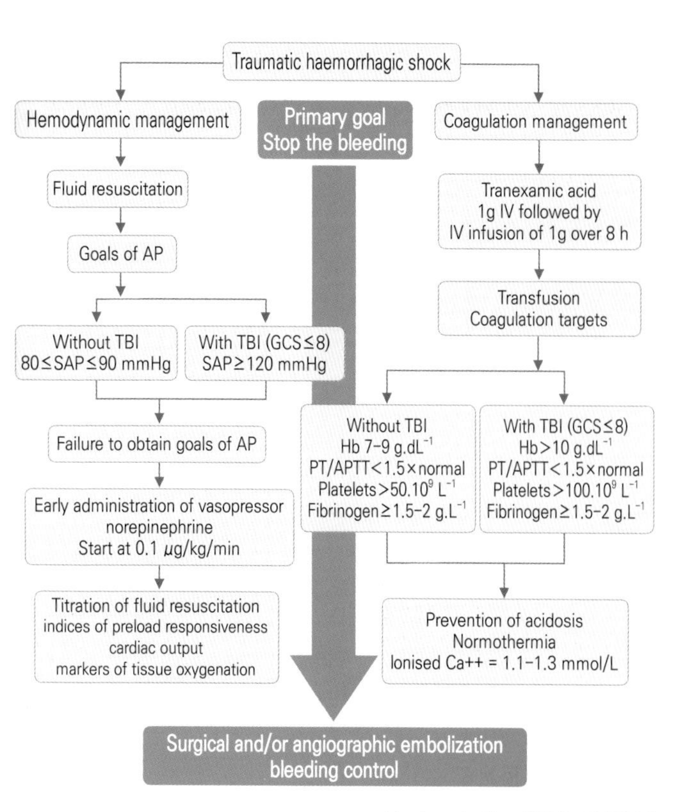

[Ann Intensive Care. 2013 Jan 12;3(1):1.]

* 약어- AP, arterial pressure; SAP, systolic arterial pressure; TBI, trauma brain injury

소아진정과 진통요법

의정부성모병원 경연영

1. 진정 시 환자 모니터링

- S_PO_2, pulse, RR, 3가지를 5-10분 간격으로 기록

2. 환자 감시

- 호흡상태 감시 : S_PO_2, $ETCO_2$
- 순환상태 감시 : EKG, PAP, NBP
- 의식상태 감시 : BIS 모니터

3. 진정 고위험군 (주의가 필요한 대상)

- 기존 호흡기와 심혈관계 불안정성이 있을 때, ASA > class IV
- 37주 이전에 태어난 미숙아
- 진정시 부작용 과거력, 신경근육 질환
- 신체검진 상 기도의 위험성이 있는 경우

4. PSA에 필요한 시설 및 장비(간호사에게 준비시킬 것)

기도관리장비	- 산소 및 마스크 Nasal cannula, Mask(유아, 소아용) - 흡인기와 흡입 카테터, OPA, NPA(유아, 소아용) - 후두경: 직선형 1,2,3번 / 곡선형 2,3,4번 - 기관내관 커프 없는 것: 2.5-6.0 커프 있는 것: 6.0-8.0 - 마질 겸자(Magil forceps)
소생술을 위한 장비	- 소생 약물 - 제세동기 - 길항제: flumazenil, Naloxone
정맥용 도구	- 정맥용 카테터 - 골내 주사
환자 감시 장지	- 심전도 감시장치 - 맥박산소 측정기 - 호기말이산화탄소분압 측정기 - 비침습적 자동 혈압계

소아진정과 진통요법 *(계속)*

5. 소아의 PSA 약물 선택

술기의 특징	술기의 예	추천 약제	대체 약제
움직임 제어만 필요	검사시간<20분 CT, 복부초음파	Thiopental (PR) 비환기적 약물요법 (3개월 미만)	Midazolam (IV) Chloral hydrate (PO)
	검사시간>20분 MRI, 경흉부초음파	Chloral hydrate (PO): (4세 미만) 비환기적 약물요법 (3개월 미만)	Midazolam (IV) : 4세 이상
심한 불안, 약한 통증의 술기	정맥로확보 L-tube삽입 Foley Cath. 삽입 국소마취	협조되지 않는 경우 Midazolam(IN)	
	단순봉합술 요추천자술	Ketamine (IM, IV): 협조되지 않는 경우 비환기적 약물요법 (3개월 미만)	Midazolam Fentanyl (IV, IM)
	탈장정복술 간단한 이물 제거술 (목, 코, 귀)	Thiopental (PR)	Choral Hydrate (PO, PR)
	화상드레싱 Slit lamp exam 안구세척	협조되지 않는경우 Midazolam (IN)	
심한 불안, 심한 통증의 술기	골절/ 탈골 도수정복/ 관절 천자 심한 찰과상 드레싱 화상괴사 조직제거 복합열상봉합 복합이물제거 제세동/ 심율동전환/ 중심정맥삽입 흉관삽입 등	Ketamine (IV) : 3개월 이상	Midazolam Fentanyl (IV, IM) : 3개월 이상 3개월 미만 : Midazolam (IV) Choral Hydrate

[소아의 술기를 위한 진정 및 진통 -한국형 지침]

※ 비환기적 약물요법: 수유, 과당복용

소아진정과 진통요법 *(계속)*

6. 해열제, 진통제

1) 해열 진통제

약명	경로	용량
Acetaminophen (DAAPS)	PO	≤12세: 10-15 mg/kg/회, 4-6시간마다 (최대량 75 mg/kg/day 또는 3750 mg/day) >12세: < 50 kg: 15 mg/kg/회, 4-6시간마다 ≥50 kg: 1,000 mg/회, 6-8시간마다
Propacetamol (DPROAAP1GJ)	IV	30 mg/kg (= acetaminophen 15 mg/kg)
Ibuprofen (DXIPFS)	PO	진통목적: 4-10 mg/kg/회, 6-8시간마다 (최대량: 40 mg/kg/day) 해열목적: <39°C: 5 mg/kg/회, 6-8시간마다 ≥39°C: 10 mg/kg/회, 6-8시간마다 (최대량: 40 mg/kg/day)
Ketorolac (DKTRC30J)	IV IM	2-16세: 0.4-1 mg/kg/회, 6시간마다

2) 마약 진통제

약명	경로	용량
Codein (DN-CODPT20)	PO	0.5-1 mg/kg/회, 4-6시간마다 (최대량: 60 mg/day)
Fentanyl (DN-FT100J)	IV IM IN 분무	<1세: IV: 1-4 mcg/kg/회, 2-4시간마다 1-12세: IM, IV: 1-3 mcg/kg/회, 30-60분마다 IN: 1.5 mcg/kg/회 (최대량 100 ug/회) 분무: 3 mcg/kg/회

7. 소아의 PSA 대표적 약물 종류

	용법	약리작용	부작용	금기증
Chloral Hydrate	PO/PR: 50-100 mg/kg	Onset: 0.5-1시간 Duration: 4-8시간	구토, 비정상적인 흥분과 초조, 어지러움, 열, 두드러기, 과진정	약제에 대한 과민반응, 간 및 신장장애, 위궤양, 심장질환
Ketamine	IV: 1.5-2 mg/kg over 30-60 sec (주입속도 주의) IM: 4-5 mg/kg	Onset: IV 1 min IM 3-5 min Duration: IV 10-15 min IM 15-30 min	후두경련, 무호흡, 저산소증, 구강분비물 증가 오심, 구토 안구진탕, 간대성 근경련, 각성기 현상	절대적 금기: ≤3개월, 조현병
Thiopental	1st dose: 25 mg/kg PR (1세 미만 40 mg/kg) 2nd dose: 10 mg/kg	Onset of action : 10-15 min Duration of action : 60-120 min	혈압저하, 기침, 후두경련, 기관지경련, 호흡저하, 무호흡	Porphyria
Midazolam	IV: 0.05-0.1 mg/kg IM: 0.1-0.3 mg/kg IN: 0.2-0.5 mg/kg PO: 0.5-0.75 mg/kg PR: 0.5 mg/kg	Onset: IV: 1-5이내 IM: 15분 이내 Duration: 30-45분	호흡저하, 저혈압, 역설적 불안증	Benzodiazepine 과민증 환자, 쇼크 및 혼수, 급성 호흡부전
Fentanyl	IV: 1-3 mcg/kg (30-60분 간격으로 반복 가능) * 빠르게 주입할 경우 부작용 발생 가능성이 커지므로 1분 이상에 걸쳐 주입	Onset: IV: 1-2분 이내 IM: 7-15분 이내 Duration: IV: 30-60분 IM: 60-120분	호흡억제, 흉벽강직	약제에 대한 과민반응, 호흡억제 발생이 쉬운 환자, 경련 발작 기왕력, 근이완제 사용이 불가한 환자

소아 진정 및 진통제 사용 설명 및 동의서 예시

소아진정 및 진통제 사용 설명 및 동의서

병록번호:
성별 / 나이: 이름:
설명의사(이름):

진단명(한글):

시술(검사)명(한글):

진정 및 진통제 사용 목적

소아 환자의 불안이나 통증을 경감시켜, 검사 및 시술의 정확도를 높이고 시술 과정에 따른 합병증의 발생을 예방하는 것입니다.

목적하는 진정의 수준: □ 최소 진정 □ 중등도 진정 □ 깊은 진정

과거병력

▶ 진정진료/마취경력 :

▶ 가왕력(심장, 신경, 호흡기질환 여부) :

▶ 알레르기 여부 :

▶ 특이체질 여부 :

▶ 현재 복용 약물 :

진정 및 진통제의 종류 및 방법

① 약물의 종류(성분명 혹은 상품명):

② 투여 방법: 경구투여 / 근육주사 / 정맥주사 / 관장 / 기타 ( )

③ 예상 진정 시간:

진정 및 진통제 사용 후 발생할 수 있는 부작용 및 합병증, 주의사항

① 구토: 검사 및 시술을 계획한 시간 이후에는 금식을 유지해야 합니다. 구토 발생시 흡인되지 않도록 주의해야 하므로 일정 시간 동안 의료진의 관찰이 필요합니다.

② 호흡 저하나 호흡 곤란: 이에 대한 대처를 위해 응급장비 및 인력을 확보하고 있습니다. 진정 중에는 환자 상태 감시를 위해 감시 장치를 부착할 것입니다.

③ 저환기 및 저산소증: 산소 투여나 백마스크 환기, 기관 삽관을 시행할 수 있습니다.

④ 진정 실패: 진정제 투여로 진정 상태가 유도되지 않는 경우에는 약물의 반복 투여나 다른 진정 약물의 투여가 필요할 수 있으며 이에 많은 시간이 소요될 수 있습니다.

⑤ 퇴원기준: 시술을 마친 후에는 환아가 진정 전의 상태로 회복되어야 퇴원할 수 있습니다.

⑥ 약물에 따른 기타 부작용 및 합병증( )

동의내용

본인(혹은 환자의 보호자)은 약물을 이용한 진정 및 진통제 사용에 대한 필요성 및 과정, 예상되는 합병증 등에 대하여 의사로부터 설명을 들었습니다. 이상의 내용에 대해 충분히 이해하고 진정 및 진통제 사용에 대해 동의하며 자필로 서명합니다.

년 월 일

환 자: 서명(인)

보호자: 서명(인)

(환자와의 관계:)

○○병원

[소아의 술기를 위한 진정 및 진통 -한국형 지침]

진정 기록지의 예시

진정 기록지

1 진정 및 평가

작성자 ______ / ______

체중 kg	ASA 분류:	보호자 연락처 ______

NFO 시행 여부 ☐ Yes ☐ No
(clear liquid 2시간 / milk 4시간 / solid meal 6시간)
Last meal: 종류 ( ), 진정 ( )전

*ASA 분류
I : 건강한 환자
II : 경한 전신질환이 있는 자
III : 심한 전신질환이 있는자
IV : 지속적으로 생명을 위협하는 심한 전신질환이 있는자
V : 수술없이 생존을 기대할 수 없는 죽어가는 환자

과거력 / 현병력:			
	Allergy	☐ Yes	☐ No
	Difficult airway	☐ Yes	☐ No
	만성 호흡기질환	☐ Yes	☐ No
	기타	☐ Yes	☐ No

진정목적:

약물투여시각	약물	투여경로	용량

술기 시작 시각:

술기 종료 시각

2 진정 중 감시

작성자 ______ / ______

시각	BP(mmHg)	HR(/min)	RR(/min)	SpO_2(%)	기타(처치 및 추가약물)
진정 전 V/S					

3 진정(술기) 후 평가: 혼자 앉을 수 있을 정도까지 측정

작성자 ______ / ______

시각	BP	HR	RR	SpO_2	특이사항

* 가장 깊은 진정 깊이 ( )

1. 불안하고 흥분 상태
2. 깨어있고 협조적, 차분한 상태
3. 졸려하나 말을 걸면 쉽게 깸
4. 미간 두드림, 큰소리에 깸
5. 미간 두드림, 큰소리에 느린 반응
6. 자극에 전혀 반응 없음

4 퇴원 전 평가

심혈관 기능과 기도 유지가 안정적이다	☐ Yes	☐ No
의식상태가 진정 전으로 회복되었다	☐ Yes	☐ No
운동 상태가 진정 전으로 회복되었다	☐ Yes	☐ No
오심이나 구토없이 물을 마실 수 있다	☐ Yes	☐ No
책임지고 환자를 돌볼 보호자가 동행한다	☐ Yes	☐ No

퇴원 시각:

응급실내에서 발생한 합병증

☐ apnea ☐ hypotension
☐ bradycardia ☐ desaturation(<92%)
☐ aspiration ☐ hallucination
☐ agitation ☐ nausea ☐ None

[소아의 술기를 위한 진정 및 진통 -한국형 지침]

소아의 정상 활력 징후

의정부성모병원 경연영

나이	호흡수 (min)	호흡수, 최대 (min)	맥박수 (min)	맥박수, 최대 (min)	수축기혈압 (mmHg)
만삭아	30-50	60	120-160	180	50-70
1-12개월	25-40	50	80-140	160	70-100
12-24개월	20-30	40	80-130	140	80-110
2-6세	20-30	30	80-130	130	80-110
6-12세	20-30	30	70-110	110	80-120
>12세	12-20	20	55-105	105	110-120

* 연령별 최소 Systolic BP (저혈압 판정 기준)

< 1개월 = 60mmHg, 1-12개월 = 70mmHg,
1-10세 = [2×나이(세)] + 70mmHg, > 10세 = 90mmHg

소아의 혈당의 정상치

Glucose (mg/dL)	
제대혈	45-96
미숙아	20-60
신생아 1일	40-60
신생아 1일 이후 (~28일)	50-90
소아	60-100
성인	70-105

소아 응급상황에 대한 초기 처치

1. 영아, 소아 기관 삽관

기관 내 튜브 크기(ID, mm)		
	cuffed	uncuffed
< 1세	3.0	3.5
1세 ≤ 나이 < 2세	3.5	4.0
2세 ≤	나이(세)/4 + 3.5	나이(세)/4 + 4
기관 내 튜브 삽입 깊이(cm): 3 × 기관 내 튜브 크기(mm)		

2. 수액요법

1) 초기 수액 보충(NS 혹은 LR solution) = 20 mL/kg (필요시 반복)

예) 10 kg 소아, Hypovolemic shock의 경우: 200 mL IV 후 반응이 없으면 반복

2) 하루 유지 수분량

체중	하루 유지 총 수분량	시간당 주입량
0–10 kg	100 mL/kg	4 mL/kg/hr
10–20 kg	1,000 mL + 50 mL/kg (10 kg 초과 체중당)	40 mL/hr + 2 mL/kg/hr
> 20 kg	1,500 mL+ 20 mL/kg (20 kg 초과 체중당)	60 mL/hr + 1 mL/kg/hr

소아 응급상황에 대한 초기 처치 (계속)

3. 소아 인공호흡기 초기 설정

* 환자의 임상 양상과 동맥혈가스분석 결과에 따라 조정

Variables	Setting	
FiO_2	0.6 (SaO_2 < 92%인 경우 최소 0.6 이상으로 시작)	
PIP	20-25 cmH_2O (충분한 가슴 상승과 청진음으로 판단)	
TidalVolume	Infant/ Toddler	8-10 mL/kg
	> School aged	6-8 mL/kg
Rate	Infant/ Toddler	25-30 /min
	School aged	20-25 /min
	Adolescent	16-20 /min
I-time	호흡수와 I : E ratio로 판단	
	Infant	0.6 sec
	Toddler	0.7 sec
	> School aged	0.8-1.0 sec
PEEP	3-5 cmH_2O	

4. 소아 저혈당 치료

Dextrose

- 초기 IV bolus : 0.25 g/kg 이상의 dextrose 공급
  D25 1-2 mL/kg IV (소아)
  D10 2.5-5 mL/kg IV (영아)

- 이후 dextrose 지속 공급
  Dextrose 5-8 mg/kg/min
  D10 3-5 mL/kg/hr

소아 응급상황에 대한 초기 처치 (계속)

5. 경련 시

기도확보 및 산소투여, Vital sign monitoring	
5분 이상 경련 시	
1st	line: Lorazepam (ativan) 0.1 mg/kg IV (10 kg: 1 mg IV)
1st	투여 후 3분 이후에도 멈추지 않을 경우: 동량으로 한 차례 더 투여
2nd	line: Phenytoin 20 mg/kg/IV over 20 mins (10 kg: 200 mg IV) full monitoring 필요
3rd	line: Phenobarbital 20 mg/kg IV over 20 mins (10 kg: 200mg IV) 그 외 평소 Valproic acid 경구 복용 중이면 Valproic acid 20 mg/kg/IV (10 kg: 200 mg IV)를 고려해볼 수 있음
* IV 확보가 어려운 경우 IO를 적극적으로 고려 !!	

6. Anaphylaxis

- Epinephrine IM: 0.01 mL/kg of 1:1,000원액
  필요시 5-15분 마다 반복, 대퇴부 중앙 전외측 주사
- Epinephrine IV (심각한 저혈압이나 shock 지속 시) :
  0.01 mg/kg (1:10,000 희석 용액으로 0.1 mL/kg),
  10분에 걸쳐 천천히 투여
- 필요시 Epinephrine 지속 투여: 0.1-0.3 mcg/kg/min
- IV fluid (crystalloid): 20 mL/kg (필요시 2-3회 추가 투여)
- 기관지 수축이 동반된 경우
  Albuterol (Ventolin, DNB-SBM2.5): 1.25-2.5 mg Nebulization
  Epinephrine 0.5 mL/kg (1:1,000원액, 최대 5 mL) Nebulization

10 kg 소아 기준 응급 약물 용량

1. Equipment

10 kg 기준

E.T tube size	4.0 uncuffed
E.T tube depth	11–12 cm
Laryngoscope	1–1.5 straight
I-gel	1
OPA	60 mm
NPA	18 Fr
Chest tube	16–20 Fr
Urinary catheter	8–10 Fr

2. Resuscitation

1) 약물

10 kg 기준

Epinephrine	DEPN1J (1:10000)	0.1 mg
Adenosine 1st	DADN6J	1 mg
Adenosine 2nd	DADN6J	2 mg
Amiodarone	DADR150J	50 mg
Atropine	DATN0.5J	0.2 mg
Calcium gluconate	DCAGL2GJ	600 mg
Lidocaine	DA-2LDJ5	10 mg

2) 제세동

10 kg 기준

Defibrillation 1st	20 J
Defibrillation 2nd	40 J
Sync Cardioversion 1st	10 J
Sync Cardioversion 2nd	20 J

10 kg 소아 기준 응급 약물 용량 (계속)

Seizure

약물	코드	용량 (10 kg 기준)
Lorazepam	DLZP	1 mg
Phenytoin	DFPH150J	200 mg
Phenobarbital	DPB100J	200 mg

Anaphylaxis

약물	코드	용량 (10 kg 기준)
Epinephrine (1:1,000)	DEPN1J	0.1 mg/IM
Epinephrine (1:10,000)	DEPN1J	0.1 mg/IV
MethylPD20mg	DH-MPD125J	20 mg

RSI Drugs

(성인 RSI 약물은 p. 20-21 참조)

약물	코드	용량 (10 kg 기준)
Premedication		
Atropine	DATN0.5J	0.2 mg
Fentanyl	DN-FT100J	30 mcg
Lidocaine	DA-2LD	15 mg
Induction agent		
Etomidate	DA-ETM20J	3 mg
Ketamine	DA-KT250J	20 mg
Midazolam	DMIDZ5J	3 mg
Paralyzing agent		
Rocuronium	DRCN50J	10 mg
Succinylcholine	DSCH100J	20 mg
Vecuronium	DVCN4J	2 mg

Emergency Drug

성빈센트병원 정원중, 부천성모병원 김지훈

1. 항부정맥제

약물명	CMC 코드	증상	사용 용량
Amiodarone	DADR150J (150 mg/3 mL/Ⓐ)	Refractory VF/VT (cardiac arrest 상황)	300 mg (2Ⓐ) IV bolus Repeat 150 mg (1Ⓐ) IV bolus
		Symptomatic tachycardia	Loading: 5DW1 (100 mL) + DADR150J 150 mg (1Ⓐ) IV for 10 min Maintenance: 5DW5 (500 mL) + DADR150J 600 mg (4Ⓐ) mix 처음 6시간 동안 1 mg/min (50 mL/hr) 다음 18시간 동안 0.5 mg/min (25 mL/hr)
Adenosine	DADN6J (6 mg/2 mL/Ⓥ)	PSVT	6 mg (1Ⓥ) IV bolus 1-2분 뒤 지속 시 12 mg (2Ⓥ) IV bolus, 2회까지
Verapamil	DVPM5J (5 mg/2 mL/Ⓐ)	SVT Atrial fibrillation	NS1 (100 mL) + DVPM5J 5 mg (1Ⓐ) mix IV for 2 min 30분 뒤 지속 시 NS1 (100 mL) + DVPM5J 10 mg (2Ⓐ) mix IV for 2 min, 2회까지
Diltiazem	DDTZ50J (50 mg/Ⓥ)	Atrial fibrillation SVT	0.25 mg/kg IV for 2 min 지속 시 0.35 mg/kg IV for 2 min (60kg 기준: NS1 (100 mL) + DDTZ50J 15 mg (0.3Ⓥ) IV for 2 min, 지속 시 NS1 (100 mL) + DDTZ50J 21 mg (0.4Ⓥ) IV for 2 min)

2. 혈압강하제

약물명	CMC 코드	증상	사용 용량
Labetalol	DLTL100J (100 mg/20 mL/Ⓐ)	AAS IICP Eclampsia, preeclampsia	10-20 mg (0.1-0.2Ⓐ) IV for 2 min 지속 시 10분 간격 재 투여 NS1 (20 mL) + DLTL100J 400 mg (4Ⓐ) mix 30 mL/hr (2 mg/min) 시작하여 증감량, 최대 용량: 300 mg까지
Nicardipine	DNCP10J (10 mg/10 mL/Ⓐ)	ICH, SAH와 같은 IICP	2 mg (0.2Ⓐ) IV bolus NS5 (300 mL) + DNCP10J (200 mg/20Ⓐ) 12.5 mL/hr (5 mg/hr)로 시작 매 5-15분마다 6.25 mL/hr (2.5 mg/hr) 증감량 최대 37.5 mg/hr (15 mg/hr)
Nitroglycerin	DNIG0.6 (0.6 mg/Ⓣ) DNIG50J (50 mg/50 mL/Ⓑ)	Acute hypertensive pulmonary edema AMI Acute sympathetic crisis	설하 1Ⓣ 5DW2 (200 mL) + DNIG50J 50 mg (1Ⓥ) mix, 1.5 mL/hr (5 mcg/min) 시작 3-5분마다 1.5 mL/hr씩 증감량, 최대 60 mL/hr (200 mcg/min) 까지
Hydralazine	DHDZ20J (20 mg/1 mL/Ⓐ)	Eclampsia, preeclampsia	20 mg (1Ⓐ) IV bolus 필요시 매 4-6시간 반복 투여

3. 혈압상승제/심장수축 촉진제

* Norepinephrine과 Epinephrine은 몸무게 기반 또는 비기반 추천 용량이 있음.

약물명	CMC 코드	일반 추천 용량	예시 A (60kg 기준)	예시 B (60kg 기준)
Norepinephrine*	DNEP10J (10 mg/10 mL/Ⓐ) DNEP20J (20 mg/20 mL/Ⓐ)	1-35 mcg/min[†] (max 90 mcg/min)	NS2+ DNEP10J 4Ⓐ mix (40 mg/200 mL) ▷ 0.3-10.5 mL/hr (max 27 mL/hr)	NS5+ DNEP10J 3Ⓐ mix (30 mg/500 mL) ▷ 1-35 mL/hr (max 90 mL/hr)
		0.02-1.0 mcg/kg/min[‡]	▷ 0.36-18 mL/hr	▷ 1.2-60 mL/hr
Dopamine	DDOPC800B (800 mg/500 mL/Ⓑ) DDPM200J (200 mg/Ⓐ)	2-20 mcg/kg/min[‡] (max 50 mcg/kg/min)	DDOPC800B 1Ⓑ+ DDPM200J 4Ⓐ mix (1600 mg/500 mL) ▷ 2.25-22.5 mL/hr (max 56.25 mL/hr)	DDOPC800B 1Ⓑ (800 mg/500 mL) ▷ 4.5-45 mL/hr (max 112.50 mL/hr)
Epinephrine*	DEPN1J (1 mg/ 1mL/Ⓐ)	1-10 mcg/min[§] (max 50 mcg/min)[†]	5DW1+ DEPN1J 2Ⓐ mix (2 mg/100 mL) ▷ 3-30 mL/hr (max 150 mL/hr)	5DW1+ DEPN1J 1Ⓐ mix (1 mg/100 mL) ▷ 6-60 mL/hr (max 300 mL/hr)
		0.05-0.5 mcg/kg/min[§] (max 2 mcg/kg/min)[‡]	▷ 9-90 mL/hr (max 360 mL/hr)	▷ 18-180 mL/hr (max 720 mL/hr)
Vasopressin	DH-VP20J (20IU/1 mL/Ⓐ)	0.01-0.03 units/min[†,‡]	NS5 + DH-VP20J 2Ⓐ mix ▷ 7.5-22.5 mL/hr	NS5 + DH-VP20J 1Ⓐ mix ▷ 15-45 mL/hr
Dobutamine	DDOB500 (500 mg/250 mL/Ⓑ) DDOBU250J (250 mg/5 mL/Ⓐ)	2-20 mcg/kg/min[§] (max 40 mcg/kg/min)	DDOB500 1Ⓑ + DDOBU250J 2Ⓐ mix (1000 mg/250 mL) ▷ 1.8-18 mL/hr (max 36 mL/hr)	DDOB500 1Ⓑ (500 mg/250 mL) ▷ 3.6-36 mL/hr (max 72 mL/hr)

[*] Institutional protocols may vary with weight-based or non weight-based regimens.
[†] 2016 Surviving Sepsis Guidelines
[‡] Tintinali's Emergency Medicine 9th Ed
[§] Use of vasopressors and inotropes [Internet]. Uptodate.com [cited 2020 May 26]